HOSPITALITÉ FRANÇAISE

TAHAR BEN JELLOUN

HOSPITALITÉ FRANÇAISE

RACISME ET
IMMIGRATION MAGHRÉBINE

ÉDITIONS DU SEUIL

27, rue Jacob, Paris VIᵉ

ISBN 2-02-032423-7

Préface

Lorsque je suis arrivé à Paris l'après-midi du 11 septembre 1971, j'étais un peu angoissé mais confiant. Tout déplacement est un arrachement, une rupture avec la terre, avec la mère. La mienne avait tenu à m'accompagner à l'aéroport de Tanger pour me donner ses dernières consignes, par exemple : « Fais attention à ton passeport ; n'oublie pas de donner de tes nouvelles ; fais attention à ce que tu manges et qui tu fréquentes ; nous sommes des gens modestes et on compte sur toi pour mettre du rouge sur notre visage, etc. »

Comme toutes les mères méditerranéennes, la mienne avait peur que j'attrape froid. Elle avait entendu parler de la neige en France ; elle n'en avait jamais vu. J'avais obtenu une bourse de cinq cents francs par mois d'une association caritative qui avait une antenne à Rabat. J'ai vécu correctement avec cette somme durant deux ans. Je donnais quelques cours privés et faisais de temps en temps des travaux de peinture.

Tout en préparant une thèse de troisième cycle en psychologie, j'ai pu écrire des articles dans le Monde. Je dois cette chance exceptionnelle à Jean-Pierre Péroncel-Hugoz que j'avais rencontré l'été 1971 à Asilah et qui m'a présenté à François Bott, lequel m'a mis en contact avec Pierre Viansson-

Ponté. J'étais un inconnu. Ces trois personnes qui sont devenues par la suite des amis m'ont accueilli avec une spontanéité, une générosité et une confiance que je n'oublierai jamais.

Je rappelle souvent cet accueil, sa qualité, sa gratuité pour dire que je ne me plaindrai jamais, sur le plan personnel, de cette France-là qui m'a ouvert ses portes et ses fenêtres. La suite se résume en une phrase : j'ai eu de la chance, j'ai été aidé et j'ai beaucoup travaillé.

L'hospitalité est pour moi « un droit réciproque de protection et d'abri », ou simplement comme le fait de recevoir sous son toit sans contrepartie. L'hospitalité réunit un geste (accueillir), une attitude (s'ouvrir au visage de l'autre – qu'il soit indigent ou voyageur de passage –, ouvrir sa porte, offrir l'espace de sa maison à l'étranger), un principe (la gratuité).

Jacques Derrida rappelle après Emmanuel Lévinas que « l'hospitalité est le nom même de ce qui s'ouvre au visage, ce qui accueille l'autre comme visage. L'accueil accueille seulement un visage ». Emmanuel Lévinas définit ainsi le visage : « La manière dont se présente l'Autre, dépassant l'idée de l'Autre en moi, nous l'appelons visage. […] Le visage est une présence vivante, il est expression. […] Le visage parle. La manifestation du visage est déjà discours. »

Ainsi la conscience est une attention à l'autre qui devient hospitalité quand elle s'ouvre au visage de l'autre. C'est un mouvement passif, celui du recevoir. On se remplit de l'autre.

Les expressions marocaines de bienvenue sont assez éloquentes. On dit par exemple pour souligner la joie et le bien qu'on ressent en recevant l'autre : « Tu as rempli ma maison », « Tu as rempli avec nous (ou pour nous) la maison ». Pour faire un compliment à quelqu'un, on lui souhaite : « Que ta maison soit toujours pleine (de gens, d'amis, d'amour, de bienfaits). » Quand les invités s'en vont, on les rappelle pour leur dire : « Après votre départ (ou sans vous), la maison est vide. »

L'hospitalité marocaine est une tradition. Elle fait partie du tempérament des Marocains. C'est un héritage de la culture arabo-berbère, musulmane et juive. Cela ne veut pas dire ouverture absolue et totale. Le Marocain donne l'hospitalité à l'inconnu – le gîte et la table – avec générosité et plaisir, mais préserve sa vie privée. Il accueille mais ne s'ouvre pas. C'est un paradoxe. Que de voyageurs sont souvent invités à dormir chez l'habitant sans aucune contrepartie ! C'est naturel. C'est vécu comme un plaisir et même une fierté. Même émigré ou exilé, où qu'il se trouve, le Marocain, qu'il soit musulman ou juif, persévère dans cette tradition. Il la vit comme faisant partie de son identité culturelle. Le fait d'accueillir honore et humanise. Il emplit le cœur et apporte quelque chose de plus : l'autre me reconnaît en tant qu'être capable de partage ; il consolide mon statut dans le recevoir, dans la relation d'existence avec autrui. Cette reconnaissance est l'essence même de cette éthique. Pour le remercier de s'être arrêté devant ma porte, d'avoir choisi ma maison pour la « remplir » de son être, je vais donner plus que ce que j'ai.

Jacques Derrida pensait peut-être à l'hospitalité méditerranéenne quand il disait : « Le recevoir ne reçoit que dans la mesure où il reçoit au-delà de la capacité du moi, au-delà de ce que je pense lui offrir. L'autre est plus grand que ma maison. » Il rejoint et cite Emmanuel Lévinas qui écrit dans *Totalité et Infini* : « Aborder Autrui dans le discours, c'est accueillir son expression où il déborde à tout instant l'idée qu'on emporterait une pensée. C'est donc recevoir d'Autrui au-delà de la capacité du Moi ; ce qui signifie exactement : avoir l'idée de l'infini. Mais cela signifie aussi être enseigné » (*Adieu à Emmanuel Lévinas*, Galilée, 1997). Offrir plus que ce qu'on possède. Que de fois des paysans, au sud de la Méditerranée,

11

vont discrètement emprunter pour offrir un festin à celui qu'ils accueillent !

Dans une nouvelle, non publiée, qui s'appelle *L'Invitation*, je raconte l'histoire authentique d'une équipe de télévision venue en Algérie filmer un immigré de retour chez lui. Le tournage a duré une semaine, le temps pour le village de fêter toute l'équipe. Le père de l'immigré avait emprunté pour offrir des repas grandioses et des cadeaux à tout le monde. En partant, le réalisateur, ému par la chaleur et la générosité de cet accueil, donne sa carte au vieux et lui dit en bon Parisien : « Voici ma carte, si vous venez un jour à Paris, n'hésitez pas à venir me voir. » Six mois plus tard, le vieil homme débarque un soir et sonne à la porte du réalisateur, qui mit du temps à le reconnaître. On imagine l'embarras et la gêne causés par cette visite impromptue. L'hospitalité n'implique pas forcément de réciprocité...

L'autre entre chez moi et m'apprend des choses sur moi-même. Sa seule présence me met en face de moi-même. Il bouleverse mon espace, mes habitudes, et m'apprend ce que je suis. Cela ressemble à une mise à l'épreuve. Mon ouverture (accueillir, ouvrir ma porte) doit être large, infinie, c'est-à-dire réelle. Pas de masque ni de jeu. Il ne s'agit pas de faire semblant ou de se forcer. L'accueil ne supporte pas le simulacre.

Cette attitude doit être constitutive de mon être ; elle fait partie de mon histoire ; elle est issue de la mémoire collective de ma terre natale ; elle me situe et me signifie. C'est le legs de mes ancêtres, de l'histoire de ma culture, des principes fondateurs de ma civilisation. Elle ne s'improvise pas. Elle ne se joue pas. Elle ne réclame rien en échange. L'hospitalité n'est concevable que dans la gratuité absolue et dans le recevoir compris comme un don : l'autre me donne sa présence, son visage. En entrant dans ma maison, il m'apporte quelque chose et rend vivante la tradition hospitalière.

Pour dire de quelqu'un qu'il est bon, on dit au Maroc qu'il a « le visage ouvert » ou bien qu'il a « le cœur blanc comme la soie » ; pour dire qu'il est prodigue, on dit que « sa main est fendue ». L'hospitalité est de l'ordre de la prodigalité. C'est naturel. Aucun discours ne doit venir encombrer ce geste, cette gratuité. On ne parle pas de la manière de recevoir. On reçoit et on est vigilant : l'autre doit être le bienvenu, celui qui apporte avec lui une étrangeté qui me parle, qui s'adresse à moi dans ma solitude, car le fait qu'il vienne d'ailleurs – un autre pays, une autre tribu, une autre langue, une autre culture – renforce mon être. Il me reconnaît dans ce que je suis, c'est-à-dire dans mon étrangeté pour lui. « Reconnaître autrui, c'est reconnaître une faim », écrit Lévinas. J'ai faim de donner pour exister dans une harmonie avec moi-même. C'est l'autre qui me donne, en s'adressant à moi, en répondant à ma soif de reconnaissance. Seul l'absolument étranger – c'est-à-dire celui qui n'est pas de la famille biologique – peut m'apporter quelque chose qui va me nourrir, m'instruire sur moi-même et sur les autres. D'où ce besoin essentiel, vital, d'être dans une relation avec autrui.

C'est aussi une exigence de la raison. Tendre la main, ouvrir une porte, parler à quelqu'un, l'écouter, donner à boire et à manger, partager le pain, prévoir un espace pour l'autre, tout cela relève de la raison qui fonde mon être et mon statut dans la société. Une maison ouverte est une invitation à sortir de la solitude en tant que manque, en tant que faille dans l'architecture de l'existence. Il ne s'agit pas de l'amour. C'est une autre affaire. Il s'agit de poser les règles élémentaires de la sociabilité. Être avec l'autre dans une relation de reconnaissance mutuelle. Il ne s'agit pas de la formule de la Bible « Tu aimeras l'étranger ». Pour la paraphraser, je dirais « Tu respecteras l'étranger », sans oublier que tout homme est étranger, mais qu'il n'y a pas d'étranger absolu. L'individu est unique et singulier. Dans ce sens, chacun est étranger à l'autre dans la mesure où nous sommes invités à apprendre à vivre ensemble. Il ne s'agit pas non plus de fraternité. Je suis de l'avis de Jean Genet qui pestait contre la formule républicaine « Liberté, Égalité, Fraternité ». Non qu'il faille renoncer au sens fondateur de ces trois mots, mais les éloigner de cette généralité qui finit par en annuler le sens et les rendre aussi creux qu'un slogan de campagne électorale.

Vivre ensemble n'implique pas la fraternité, mais une étrangeté dont il faut assumer le caractère non évident, non naturel. Il faut consentir un effort. Le savoir et l'accepter. Sinon on vivrait comme dans une grande famille, c'est-à-dire dans des conflits plus ou moins ouverts, avec un amour filial sur lequel pèserait la suspicion ou simplement l'obligation de se sentir concerné par ce qui arrive à la famille qui prend dans certains cas la dimension d'une tribu.

Se sentir concerné, c'est ne pas être indifférent. Accepter une responsabilité engendrée par l'existence de l'autre avec lequel je serai peut-être amené à négocier. J'ai des devoirs envers l'autre. Comme lui a des devoirs envers moi. Mais je ne me préoccupe que des miens. Si lui renonce à jouer le jeu, à respecter les règles, c'est son affaire. Je n'ai pas besoin d'être certain de la justesse de son comportement. Autrement dit, que m'importent les attitudes, les manquements ou les trahisons de l'autre. Le principe essentiel c'est que moi je respecte l'autre dans mes devoirs. C'est une exigence. Ma rigueur m'implique dans le respect de cette exigence. Regarder autrui, c'est lui parler, c'est l'invoquer et lui reconnaître sa multitude de différences qui ne sont pas faites pour séparer mais pour se rencontrer. La différence est ce qui me manque, ce qui me rend capable d'accueillir. La ressemblance (l'absolue ressemblance est impossible) est ce qui me pousse à la fermeture. Je regarde autrui comme celui qui n'a pas de mystère pour moi. Il n'est plus un étranger. Il est un autre moi-même, ce qui est un leurre qui engendre souvent la peur, le malaise et la crise.

Quand Pascal écrit : « Ma place au soleil, l'usurpation de toute la terre ! », il désigne celui qui n'inclut pas l'autre dans sa sphère, dans son identité. Cet homme envahissant serait la solitude accomplie jusqu'à l'aberration, jusqu'à la négation de l'autre, de tous les autres. Cet être est impossible. C'est malheureusement plausible dans le cas des États rompus aux usurpations.

Si l'hospitalité est une éthique – ce qui va au-delà de la simple coexistence ou de l'acceptation au nom de la morale ou de l'idéologie de la présence de l'étranger –, comment en faire un droit, une politique de l'hospitalité ? Comment passer de la conscience de l'être à une politique qui fonderait le droit de l'accueil et du partage ? Comment passer de la maison à l'espace national ? Comment inscrire dans les lois ce droit à l'hospitalité ? A partir du moment où l'on vote des lois pour restreindre les modalités de l'accueil et du séjour, pourquoi ne pas envisager des lois qui s'inspireraient de cette philosophie où l'accueil est fondement de civilisation (accueillir, c'est recevoir) ? Il ne s'agit pas de celui que je n'attendais pas. Il s'agit de celui que l'Histoire a mis sur le chemin de ma maison (mon pays), celui qui marche vers l'horizon où il sera reçu. Ce n'est pas un aventurier, un égaré ou un candidat à l'usurpation. Toute l'histoire de l'immigration est dans cette attente. L'autre est en route. Il se peut que l'invitation n'ait pas été formellement lancée. Elle a existé sous une forme étrange : lorsque la France a pénétré avec armes et bagages en 1830 en Algérie, elle n'a pas répondu à une invitation. Ce fut une « visitation », c'est-à-dire qu'elle s'est imposée par la force sur le territoire d'autrui. Elle a fait une usurpation. Dans la « visitation », l'autre tombe sur moi, il surgit comme l'inattendu dans une homogénéité, la brutalise et la rompt ; je suis sous sa loi. Je n'ai plus de souveraineté. Je n'ai pas le choix. Les armes ne me laissent pas le choix. D'où la naissance de la résistance, le refus d'une « visitation » qui voudrait se faire passer pour une invitation. Pour cela, elle a dû perpétrer des massacres. La mémoire de cette terre pénétrée a retenu que sous le feu et le sang s'est insinuée une invitation d'un ordre particulier s'inspirant de l'esprit esclavagiste. Un transfert d'hommes se fera durant des décennies, constituant les premières étapes de l'immigration. Cette « visitation » a introduit dès le départ les prémices de la rupture qui mettra longtemps à se développer en un affrontement sanglant.

A partir de là, on peut dire que la France n'a pas de problème d'immigration : elle a un problème de rupture nécessaire avec une erreur historique. C'est une relation sans relation, une parole inaudible à force de brutalités et d'injustice, une mémoire inavouable où les malentendus se sont accumulés, où la violence a été le lien privilégié avec cette terre étrangère. Tant de fêlures, de négations et de blessures ont engendré une névrose qu'aucune psychanalyse ne peut guérir. En prendre conscience, c'est reconnaître et définir le vrai problème. Or nous sommes dans l'ère des confusions, des amalgames et de la politique sans pensée, c'est-à-dire une politique qui est plus une réaction qu'une action.

La France a besoin d'une politique soutenue par une philosophie, une pensée qui mette soi et l'autre dans un face-à-face créateur, sain, sans rancœur, sans ressentiment. Mais la politique est assimilée aujourd'hui à une tactique, à de la stratégie à court terme, une volonté de vaincre en recourant au mensonge, à la fraude des images sur l'écran des apparences, du semblant et de la séduction caricaturale.

Une politique saine serait celle qui établirait un rapport entre l'éthique et le droit. Comment déduire un droit d'hospitalité de cette éthique ? Certes, la démocratie en tant que système de gouvernement, et aussi de relation entre l'État et l'individu, est le chemin qui préparerait ce rapport, mettant fin à un silence étrange entre une loi d'accueil et une disponibilité du citoyen à appliquer la loi parce qu'elle est conforme à son éthique.

Cette discontinuité entre l'éthique et le politique, entre la conscience du citoyen et l'État, cette méconnaissance de la relation entre les hommes, c'est cela qui fonde la politique actuelle de la France en ce qui concerne les étrangers. Peut-être les auteurs des lois répressives, en tout cas restrictives et sévères à propos de l'entrée, du séjour et de la circulation des étrangers, ont-ils lu Emmanuel Kant ? Ce serait leur faire honneur. Pourquoi Kant ? Parce que lui aussi parle de l'hospitalité. Il évoque l'hospitalité universelle mais pose des conditions. Il dit ceci : « Le droit de visite n'est pas un droit de résidence. » C'est une hospitalité conditionnelle. L'étranger doit bien se conduire. S'il se conduit de façon dérangeante ou déplaisante, son expulsion est recommandée, sauf si cela devait mettre sa vie en danger. Kant dit par ailleurs que le rapport naturel de l'homme avec l'homme, c'est la guerre. Cela pervertit l'essence de l'hospitalité, et correspond bien à l'idée que se font les politiques de la relation qu'ont les hommes étrangers les uns aux autres. Kant a malheureusement raison contre Lévinas. C'est ainsi. Il est plus facile de déclencher des guerres qu'instaurer et maintenir la paix. La volonté de puissance, la volonté de soumission et de domination ont marqué tragiquement ce XXe siècle. C'est peut-être pour cela que nous assistons aujourd'hui à des déplacements massifs de plus en plus déterminés et aveugles d'hommes et de femmes que les guerres ont blessés, que la domination économique a condamnés à la pauvreté, à l'errance et à l'exil.

Hannah Arendt nous a prévenus : « des êtres déplacés, arrachés à leur terre, arrachés à leur citoyenneté au point de devenir des non-citoyens errants ou des citoyens de nulle part, non identifiés, c'est-à-dire non reconnus, obligés de s'imposer chez des hôtes qui ne veulent pas d'eux, finissent par préférer l'inconnu plein de danger au chaos qu'ils ont laissé chez eux. Cette situation n'est pas nouvelle, l'humanité l'a déjà vécue ; elle a provoqué entre les deux guerres des mouvements de haine plus ou moins organisés. Ce qui est certain, c'est que le nazisme s'en est nourri, même s'il n'en avait pas réellement besoin puisqu'il était focalisé sur les Juifs. »

« Heidegger, écrit E. Lévinas, comme toute l'histoire occidentale conçoit la relation avec autrui comme se jouant de la destinée des peuples sédentaires, possesseurs et bâtisseurs de la terre. La possession est la forme par excellence sous laquelle l'Autre devient le Même en devenant mien. » C'est probablement cette tendance inconsciente à la possession (avant, c'était la terre ; aujourd'hui, ce sont ses fils) qui détermine la rigidité de la politique à l'égard des étrangers, puisque ces derniers sont nomades, non possédants, et ne bâtissent que les maisons des autres. A la rigueur, l'immigré le plus sérieux, le plus économe, finit par bâtir une maison dans son pays pour des enfants qui ne veulent pas y vivre, la considérant au mieux comme une résidence secondaire pour les vacances d'été.

Même si l'on considère comme les Tibétains que « la patrie n'est qu'un campement dans le désert », l'immigré est obligé, par la situation qui lui est faite, de revendiquer une patrie qui est souvent une métaphore où les racines seraient encore plantées. La patrie est pensée en fonction de l'accueil. Il la recrée avec des bouts de ficelle, avec des objets dérisoires, ou simplement en la rêvant. Ce rêve, il ne peut le transmettre à ses enfants, puisqu'ils ne sont pas des immigrés ; ils n'ont pas fait le voyage et ne se sont pas posé la question de l'hospitalité. Nés en France, ils n'ont ni à réclamer ni à attendre cette hospitalité. Ils ne sont pas étrangers. Ils ne sont que des enfants d'étrangers. Le dilemme est là : pourquoi subir l'exclusion alors qu'ils ont une origine commune avec d'autres enfants de cette même France ? Il y a là une erreur et un trouble dans la perception du tissu social. Leur mémoire ne vient pas d'ailleurs. Elle est là, à portée de main.

La France a opté dès le départ pour une « hospitalité contrôlée », ce qui est un non-sens puisque l'« invitation » s'est faite dans la violence. Violence coloniale qui a permis à des recruteurs de dépeupler des villages entiers, surtout en Algérie et au Maroc, pour faire tourner les usines et faire marcher les mines de France au moment où, du fait de la guerre, le pays manquait d'hommes.

L'hospitalité inconditionnelle a très bien fonctionné en France dans le domaine de l'asile politique. Cette hospitalité n'est en principe ni codée ni contrôlée ; elle est gratuite. L'honneur de la France est là. L'accueil n'est pas infini, certes, mais aide celui qui est en danger. Il est en dehors de l'économique et n'attend rien en retour. Cette tradition, unique en Europe pendant longtemps, a été petit à petit révisée. La générosité a subi quelques réserves parallèlement au durcissement de la politique de l'immigration rendue particulièrement sévère depuis le début des années 70. Elle a en outre été investie par les politiques, c'est-à-dire pervertie, utilisée comme thème électoral, comme épouvantail dont la rentabilité a été au-delà des espérances d'un parti d'extrême droite qui n'a aucun scrupule. Mieux encore : celui qui a inauguré le discours raciste fondé sur des informations fantaisistes et mensongères a réussi à déteindre sur les autres partis de la droite classique et aussi, dans une certaine mesure, sur des positions des partis de gauche.

On m'a souvent posé la question de savoir si j'ai été un jour victime de menaces ou d'attaques racistes. Directement, non. Des lecteurs, un nombre infime, m'ont reproché avec violence certains de mes articles et prises de position. Je me souviens que la première édition de cet ouvrage n'avait pas été du goût de tout le monde. Il s'était même trouvé un libraire pour refuser de le vendre. Certains ont été offusqués par l'ironie du titre. D'autres n'ont pas supporté l'historique du racisme en France. D'autres enfin ont été révoltés par la publication de la liste des crimes et des agressions racistes enregistrés par les associations de lutte contre le racisme.

Il m'est arrivé quelquefois d'être abordé dans la rue, généralement par des lecteurs plutôt sympathisants. Une fois, pourtant, un homme est venu vers moi, l'air décidé et le geste menaçant : « C'est à cause de gens comme vous que je vote pour le Front national. Vos écrits me rendent raciste ! » Il était difficile d'engager un dialogue avec cet homme énervé.

Une lectrice m'a écrit un jour une des lettres les plus étranges que j'aie reçues. Elle me disait ceci : « J'ai mis dix ans à résister et à refuser d'ouvrir un de vos livres. Un jour, à cause de ma fille qui vous lit, j'ai craqué. Depuis, je vous en veux terriblement, car vos romans m'ont captivée et je regrette amèrement d'être captivée par un écrivain arabe, car j'ai la haine des Arabes et je l'aurai jusqu'à ma mort. Je n'aurais jamais dû vous lire. »

En fait, faut-il être directement victime pour s'indigner et lutter ? Non. En tant qu'homme libre, ayant des convictions et des principes, se réclamant de valeurs humanistes et démocratiques, je ne peux qu'être profondément concerné chaque fois qu'un de mes semblables est victime d'agression raciste. C'est moi et mes valeurs qu'on bafoue quand on piétine un être parce qu'il est arabe, juif, africain ou gitan. C'est aussi moi qu'on bafoue quand dans un pays arabe on humilie un Européen, un Asiatique, un étranger au monde arabe.

La valeur la plus radicale serait la demeure ouverte. Le lieu est offert à l'étranger parce que l'hospitalité est ce qui rassemble. On n'a pas à se justifier ni à proclamer que « la France ne peut accueillir toute la misère du monde ». On ne lui demande pas tant. Mais on souhaite une clarification, autrement dit, une relecture de l'Histoire. Bien sûr qu'Albert Camus préfère sa mère à la justice et que quelqu'un d'autre dans une situation limite sauvera les siens avant de sauver les autres. C'est une affaire entendue. Mais il ne s'agit pas de cela. Il s'agit de justice et, pour y arriver, il faudra se débarrasser de cette névrose. Est-ce possible ? La France a été paresseuse, pour ne pas dire qu'elle a cultivé une amnésie sélective à l'égard de cette Algérie qu'elle a enlacée dans un mouvement brutal, cultivée, travaillée, exploitée, combattue puis oubliée.

La France n'a pas de problème majeur avec l'immigration dans son ensemble. Elle a un problème avec son passé colonial en général, et le passé algérien en particulier. Ce qui se passe depuis le début des années 90 en Algérie ne peut se comprendre (en partie, parce que beaucoup de massacres échappent à tout entendement) si on ne relit pas l'histoire de la conquête de l'Algérie.

Tzvetan Todorov constate dans *L'Homme dépaysé* (Seuil, 1996) que « depuis une vingtaine d'années, on se penche en France avec insistance sur l'épisode vichyssois, sur la compromission avec la politique nazie. Or l'épisode colonial est beaucoup plus long (la seule "aventure" algérienne va de 1830 à 1962), il a donc laissé des traces dans la conscience de plusieurs générations de Français, et les rapports entre colonisateurs et colonisés n'ont guère été moins violents, loin de là, que ceux entre Français (non juifs) et Allemands pendant la dernière guerre. La colonisation est aujourd'hui annulée et ce sont les ressortissants des anciennes colonies qui se retrouvent nombreux en métropole. [...] Le colonialisme, la décolonisation et leurs séquelles font l'objet de travaux spécialisés, mais ils sont refoulés par la conscience collective ».

Entre la France et l'Algérie subsiste une mémoire. Elle n'est pas saine. C'est une part meurtrie d'une histoire commune qui n'a pas su accepter la réalité. La guerre de libération puis l'indépendance de l'Algérie n'ont pas été réellement enregistrées dans le grand cahier de l'histoire française. Une sorte d'amnésie frappe cette partie de l'histoire de la décolonisation, proclamée mais pas assumée dans la conscience sociale, politique et historique de la France. Que de fois des hommes politiques ont dit : « La page est tournée » ! Langue de bois, slogan sans fondement, image naïve. Pour tourner une page, il faudrait d'abord ouvrir le grand livre et le lire. Or la « lecture » de cette guerre, et aussi les cent trente ans qui l'ont précédée, n'a pas été faite, ou bien elle l'a été partiellement, en sautant des pages, en en arrachant d'autres.

Chacun a fait la lecture qui l'intéressait. L'Algérie a misé sur le « million et demi de martyrs » qu'elle a utilisé avec démagogie ; la France a cultivé la culpabilité et l'oubli. La gauche française a été d'une complaisance inadmissible avec cette Algérie indépendante qui a imposé au peuple le parti unique, un socialisme confus et anachronique, une arabité qui a mis entre parenthèses la part kabyle de la société, un étatisme nationaliste dont l'ambition était de devenir le leader du Tiers-Monde, bref une Algérie qui accumulait les erreurs, les mauvais choix, arrogante et culpabilisante. Il était hors de question, dans les années 70, d'émettre la moindre critique sur la politique suivie par la dictature molle de Boumedienne. La gauche gardait le silence. La culpabilité était trop grande. Les médias ont une part de responsabilité non négligeable dans la détérioration des rapports entre l'Algérie et la France. L'Algérie n'était pas « couverte », car tout article critique entraînait immédiatement la saisie ou l'interdiction du journal par le ministère algérien de l'Information. Ce chantage à la vente fonctionnait. L'Algérie avait un traitement spécial. Cette attitude a été néfaste et indigne. Les Algériens (opposants) en ont souffert et l'image de la presse française n'en est pas sortie grandie.

On n'efface pas d'un trait une histoire qui se poursuit et se complique. En janvier 1996, il y avait 614 207 immigrés algériens en France (en 1918, ils étaient 60 000). A ce chiffre officiel, il faut ajouter plus de 400 000 Algériens naturalisés Français. De 1947 à 1962, les Algériens entraient en France en qualité de Français. L'immigration était un prolongement de la colonisation. Le sociologue algérien Abdelmalek Sayad compare ces immigrés algériens à de « petits grains de sable [des individus épars] arrachés à la roche-mère [à leur société, à leurs communautés d'origine] par l'action d'un vent soufflant en une longue tempête [les effets destructeurs, perturbateurs, déclenchés par l'imposition de l'économie monétaire], et qui, transplantés au loin, finirent par constituer, dès qu'ils rencontrèrent le premier accident de terrain [la première usine qui les attirait à elle et qui s'offrait à acheter la force de travail que les conditions nouvelles avaient libérée en eux], cette immense "dune" [le paradoxe du "tas de blé"] que sont devenus aujourd'hui les immigrés[1]».

On oublie que la population immigrée la plus importante est portugaise (649 714). Mais, si l'on excepte les Européens, ce sont les Maghrébins qui viennent en tête et c'est particulièrement eux qui semblent poser des problèmes.

Pourtant, leur volonté n'est pas de « poser des problèmes ». Au contraire. Toute leur vie, ils ont essayé de se faire petits, de passer inaperçus, de ne pas se montrer ni de manifester

---

1. Abdelmalek Sayad, *L'Immigration ou Les paradoxes de l'altérité*, Bruxelles, De Boeck-Wasmael, 1991.

bruyamment leur présence. Ils ont réussi à maintenir intacte cette discrétion. Ils ont tellement réussi que, durant des décennies, ils n'existaient pas ou, plus exactement, on ne les voyait pas. Ils traversaient le paysage en se fondant en lui, et personne n'était dérangé par ces existences où le désir d'être transparents, aussi légers que le vent, l'emportait sur tout le reste.

Les problèmes les ont tirés de leur discrétion et de leur isolement. Ils leur sont tombés sur la tête comme des pierres tomberaient du ciel. Non qu'ils fussent sans problèmes auparavant, mais ceux que la société française a fait pleuvoir sur eux n'ont pas forcément leur origine dans cette existence qui rasait les mùrs.

Avant, disons avant le choc pétrolier de 1973 et aussi avant la « bataille de Paris »[1] du 17 octobre 1961, l'immigration n'était pas l'objet de débats politiques. Il a fallu des assassinats de Maghrébins dans les Bouches-du-Rhône et surtout la contestation virulente des rapatriés d'Algérie pour que l'immigré devienne une cible et un thème posant des problèmes à la société française. Comme le fait remarquer Abdelmalek Sayad : « Le Machiavel de l'immigration n'est pas encore inventé. Si la politique, pour pouvoir être constituée comme politiquement politique, a besoin d'être distinguée de la morale, c'est l'objet immigration lui-même qui se dérobe à toute politique autonome, séparée de la morale. La seule politique possible en matière d'immigration n'est-elle pas, précisément, l'absence de politique[2] ? »

La France a du mal à arrêter une politique de l'immigration. Sous Giscard d'Estaing, l'immigration avait un secrétariat d'État. Très vite, le dossier est passé au ministère de l'Intérieur

---

1. Jean-Luc Einaudi, *La Bataille de Paris*, Paris, Seuil, 1991.
2. Abdelmalek Sayad, *op. cit.*

chargé de mettre sur pied un arsenal juridique à tendance répressive pour surveiller et punir, contrôler et fouiller, vérifier, et, dans certains cas, expulser. Tel a été et est encore aujourd'hui le principe qui tient lieu de politique.

De la quasi-inexistence – reléguée dans les cités de transit, les foyers de la Sonacotra pour hommes célibataires, de banlieue en banlieue – à une émergence massive et bruyante, l'immigration maghrébine a changé de statut et d'image sans qu'on lui demande son avis. Parce qu'à l'époque l'exploitation politique des thèmes liés à la présence arabe et berbère en France était rentable pour les partis de droite (c'était avant l'irruption du Front national), on a concédé aux immigrés une « existence » viciée, sur laquelle pèsera désormais le soupçon, la rendant responsable de la crise économique, de la montée de la délinquance et de la progression du chômage.

Cette immigration était composée principalement d'hommes seuls. L'immigré devait rester un immigré. Il ne fallait surtout pas sortir de ce cadre bien tracé et surveillé. D'où la politique des années 70 du « million pour le retour » (en anciens francs !). C'est arrivé comme une mauvaise plaisanterie, trop tard et enrobé de mauvaise foi. Parce que, entre temps, cette immigration qu'on ne voyait pas, qu'on ne regardait pas et qu'on ne rencontrait pas, avait changé. Les anciens sont rentrés chez eux. D'autres ont au contraire profité du regroupement familial, ont reformé leurs familles et ont eu des enfants. Tout change à partir de la fin des années 70 : le paysage humain, sa nature, son existence, son habitat, ses exigences et son insertion dans la société française. L'immigration, commencée il y a plus de cent ans, s'est tellement transformée qu'elle est devenue autre ; elle s'est diluée, a changé de visage et surtout est devenue… minoritaire. Les deux tiers de ceux qu'on appelle aujourd'hui des immigrés sont des Français, nés en France ou ayant opté pour la nationalité française avant leur majorité. C'est en ce sens que même le droit de vote n'est plus une revendication primordiale. Sur les plans symbolique et civique, donner le droit de vote aux immigrés pour des élections locales a été – et continue d'être – l'affirmation d'une volonté d'insertion coïncidant avec les principes de l'hospitalité – « Tu vis et travailles chez moi, il est normal que tu aies ton mot à dire dans le choix de ceux qui prendront des décisions dans ta ville ». Mais ce droit, les socialistes auraient dû le donner dès leur arrivée au pouvoir, ne serait-ce que par respect d'une promesse du candidat François Mitterrand. (La Suède l'a accordé à ses immigrés en 1975.)

Les « vieux », les survivants des générations précédentes, n'iront pas voter. Ils entretiennent avec la France un lien où se mêlent le respect, la distance, un peu de méfiance et parfois du dépit. Ils ont donné l'hospitalité à certaines valeurs de la France, ils les ont doucement intégrées dans leurs habitudes, dans leur adaptation inquiète, plus ou moins réussie, laissant à ce pays et à sa culture ce qu'ils ont de plus précieux : leurs enfants. Ils n'ont pas le choix. Ils donnent parfois l'impression qu'ils offrent leur progéniture à la France, surtout quand elle est bien intégrée, quand elle n'a pas connu les dérives du malheur et les détresses engendrées par l'absence de repères.

Cette génération de pères qui ont vieilli avant l'âge porte sur son visage l'histoire de l'immigration, ses méandres, ses blessures et ses espoirs déçus. Ce sont des gens simples ; ils vont à l'essentiel et souffrent parce qu'ils manquent de moyens psychologiques et culturels pour résister aux attractions qui s'emparent de leur progéniture. Non qu'ils refusent cette séduction dans laquelle tombent leurs enfants, mais ils auraient souhaité quelque chose de plus équilibré, où les apports du pays d'origine ne soient pas négligés ou sacrifiés. Que de parents analphabètes se sont mis à parler des bribes de français pour pouvoir répondre à leurs enfants qui refusent d'apprendre la langue maternelle ! Ils luttent à armes très inégales. D'ailleurs, luttent-ils ? A peine s'ils expriment de temps en temps, dans le

26

cercle restreint du clan constitué par leurs semblables, un regret, une petite espérance. L'air souvent abattu, le langage appauvri, les moyens limités, ils témoignent par leur silence de la nostalgie de l'époque où ils « n'existaient » pas, où on ne parlait pas d'eux, on les ignorait, et où personne ne venait déranger leur misère, leur solitude tissée d'amertume et de fatalité. Ils vivaient dans un *no man's land*, un territoire où l'exclusion se faisait de manière automatique sans commentaire, sans scrupules. Ils pensaient avoir la paix, une toute petite paix faite des petits riens de la vie quotidienne, faite en grande partie de travail, de sommeil et de brèves échappées le dimanche. D'ailleurs, certains détestaient les dimanches et les jours de fête. Que faire dans le territoire de l'isolement un jour où la fête est celle des autres ? Aujourd'hui, leur existence est affirmée par d'autres générations, qui, de toute façon, font et feront leur vie dans cette France qui ne cesse de réviser ses conditions hospitalières, en confondant ceux qui ont fait le voyage avec ceux qui ne l'ont pas fait.

Il fut un temps où adopter la nationalité française était considéré comme une trahison des racines, des origines, de la patrie, etc. L'Algérie n'aimait pas que ses citoyens se présentent à ses frontières munis d'un passeport français. C'était le comble de l'insulte. Les services de police et de douane des frontières réagissaient très mal. Au Maroc, les réactions étaient mitigées, tout simplement parce que la nationalité marocaine est inaliénable. Un Marocain garde sa nationalité où qu'il aille et d'où qu'il vienne. Entre le Maroc et la France, la mémoire commune est moins chargée, moins dramatique. La Tunisie et le Maroc furent des protectorats, pas des colonies de peuplement. La présence française dans ces deux pays était moins violente qu'en Algérie. C'est pourquoi la décolonisation s'est faite sans drames ni ressentiments.

J'ai longtemps hésité avant de demander la nationalité française. C'était pour moi une question de principe. Quand j'ai obtenu le prix Goncourt en 1987, j'ai senti ma double appartenance : je vivais en France depuis seize ans, j'y avais fondé une famille, tout en faisant des séjours fréquents dans mon pays. Je cherchais à réaliser un équilibre entre deux identités jusqu'à parvenir à un état de sérénité et d'harmonie tant désiré. C'était un rêve, un pari. Être marocain sans rien renier des apports et des acquis français. Être français sans rien sacrifier de mes origines. Le jour où j'ai senti que j'étais très près de cet équilibre (mes angoisses s'étaient apaisées), j'ai fait la démarche.

Lorsqu'en 1990 je déposai un dossier à la préfecture, je fus reçu par un haut fonctionnaire qui me dit : « La France s'honore de vous compter parmi ses citoyens. » Il me demanda ensuite les raisons profondes de cette démarche. Je lui répondis ceci : « Par souci de cohérence. J'écris en français, et je puise la plupart de mes thèmes dans mon Maroc natal. C'est en France que je vis, je suis concerné par ce qui se passe dans ce pays et il me semble normal de porter sa nationalité comme je porte la marocaine. Dans la mesure où la double nationalité est acceptée par les deux pays, moi aussi je m'honore de devenir Français tout en restant marocain. »

Une des lectures possibles de mon roman *L'Enfant de sable* (1985) trouverait un sens dans cette double appartenance où la recherche d'harmonie devient un défi lancé au destin, au hasard ou simplement à la complexité des relations entre l'être et son image, l'être et l'univers. On me demande parfois en quelle langue je rêve. En couleur, ai-je l'habitude de répondre. En vérité, je rêve dans les deux langues, l'arabe dialectal marocain et le français. Mais le fait d'avoir tôt choisi d'écrire en français plutôt qu'en arabe classique est symptomatique de ce besoin de défi. Au départ, je m'invitais au festin de la langue française. Je m'y suis introduit en écrivant de la poésie.

Je pensais que la meilleure porte à pousser ne pouvait être que celle de la poésie, parce que j'ai été nourri par les textes de Baudelaire, de Mallarmé, de Rimbaud et de Jacques Prévert. Mais Prévert semblait si accessible qu'il était tentant de l'imiter. Pour cela, je l'ai vite lu et oublié. Je le respecte par ailleurs et reconnais son apport, notamment chez les jeunes.

Plus tard, quand j'ai commencé à écrire des romans et des nouvelles, j'ai peu à peu senti que le rapport d'hospitalité s'était inversé. Le fait de m'emparer d'une langue et de l'inviter à visiter l'intimité de la société traditionnelle marocaine (la société de Fès), le fait de l'introduire dans des lieux où elle n'aurait jamais pu entrer, et de la charger d'images, de tonalités et de figures qui lui étaient tout à fait étrangères, m'a persuadé que c'était moi qui lui donnais l'hospitalité. Je l'ai accueillie avec joie, fébrilité et fierté. Je lui ai ouvert les portes de mon enfance, lui ai donné les clefs de mon imaginaire où la culture arabe et islamique était déjà là, ouverte, en attente de cette visite qui peu à peu allait se muer en une installation définitive. Il n'était pas prévu au début de cette aventure que la langue française séjournerait en moi comme un deuxième amour (une seconde épouse), un second patrimoine culturel qui allait m'enrichir et s'enrichir durant cette fréquentation devenue naturelle.

On sait que la francophonie – ce projet politique s'appuyant sur la langue – est portée par des créateurs éparpillés dans le monde. On sait aussi que ces militants de la francophonie ont le plus grand mal à obtenir un visa pour entrer en France. Qu'ils soient en Afrique, dans le monde arabe ou en Asie, ces « porteurs de la valise francophone » font parfois l'amère expérience de l'inhospitalité. Le système des visas, instauré par Jacques Chirac en 1986, alors Premier ministre de la première cohabitation, visait à l'époque la lutte contre le terrorisme venu du Proche-Orient dans le dessein de faire changer la politique française au Liban. Aujourd'hui, ce terrorisme-là n'est plus d'actualité, mais l'obligation des visas a été maintenue.

Une bavure assez cocasse : lors de la XIIe session du Haut Conseil de la francophonie en avril 1996, la police des frontières a refusé l'entrée en France à Souleiman Sissé, grand cinéaste, primé dans plusieurs festivals, et très estimé par les cinéastes et critiques français, et membre du Haut Conseil depuis sa création ! Traité comme un candidat à l'immigration clandestine, ce grand artiste malien n'a réussi à passer la frontière qu'après une intervention directe de l'Élysée. Ce genre d'aberration se produit souvent pour des universitaires, des intellectuels ou simplement des amoureux de la langue française empêchés de venir en France à cause des tracasseries consulaires et autres contradictions bureaucratiques.

Les écrivains dits « francophones » (comme si les écrivains français de souche comme J.-M. Le Clézio ou Michel Tournier ne l'étaient pas) se sentent marginalisés du fait de cette distinction artificielle entre ceux dont le français est la langue maternelle et ceux qui l'ont adopté par amour ou par nécessité. Amin Maalouf, écrivain français d'origine libanaise, s'est insurgé contre cette séparation. Il serait plus simple de renoncer à ce terme de « francophone » et de n'établir aucune distinction qui s'appuierait sur des origines ethniques. On a l'impression qu'on réserve ce mot aux écrivains africains et arabes. Personne ne penserait coller ce qualificatif à Samuel Beckett, Ionesco ou E. Cioran. Là aussi, il s'agit d'hospitalité et d'accueil. Il n'y a pas d'hospitalité à géométrie variable. Elle est entière ou elle n'est pas. L'exemple de la langue (un accueil à double sens) est symptomatique, éclairant de manière inattendue une philosophie et une attitude générale à l'égard de l'étranger.

Vers la fin des années 80, la directrice du *Guide bleu* chez Hachette préparait la publication d'un ouvrage sur la France. Elle eut l'idée saugrenue de me demander une préface. Étant incapable d'écrire des textes de complaisance, je l'ai prévenue que je dirais certaines choses qu'on n'a pas l'habitude de lire dans ce genre d'ouvrage. Elle prit le risque de confirmer cette commande. Je rédigeai un texte où je soulignais ce que j'appelle le paradoxe français, c'est-à-dire cette tendance à l'ambivalence, surtout dans le domaine de la xénophobie et du racisme. Le texte eut du mal à être accepté par la direction. Mais il fut publié tel quel.

Qu'est-ce que c'est que se sentir français ? C'est, pour quelqu'un qui, comme moi, vient d'acquérir la nationalité française, être critique tout en poussant les portes de cette entité afin que le métissage volontaire et heureux puisse se faire. Quand la France se ferme, c'est qu'elle a froid, elle sent que l'amour qu'on lui porte s'éloigne ou regarde vers d'autres contrées. Les nouveaux arrivés souhaitent vivement donner à ce pays le meilleur d'eux-mêmes sans renoncer à ce qui fait leur spécificité. La France s'est faite ainsi. Les moments de repli et de peur, les époques de rejet et d'exclusion sont des moments de crise, économique ou psychologique. C'est alors qu'apparaissent des politiciens dont la prétention n'égale que leur ignorance. Ils rédigent des lois, les font voter et se donnent bonne conscience face à un peuple qui a perdu confiance en lui-même.

L'ordonnance de 1945 sur les étrangers a été retouchée vingt-quatre fois ! La dernière en date est celle de Jean-Louis Debré, ministre de l'Intérieur qui, pour des raisons probablement narcissiques – exister par une loi qui portera son nom –, a tenu à laisser lui aussi une trace de son passage dans le premier gouvernement de Jacques Chirac. Une trace sans envergure, d'une petitesse d'esprit et d'une mesquinerie dont il ne semble pas avoir idée. Son projet de loi, inique, inutile et stupide a eu au moins un effet positif dans une France qui somnolait gentiment puisqu'il a provoqué un tollé où des cinéastes, des écrivains et d'autres à leur suite ont appelé à la « désobéissance civique ».

Cette France-là, celle qui a manifesté le 22 février 1997, était belle, généreuse et en accord avec les principes de cette hospitalité qui a fait cette nation et qui continue de l'irriguer de sangs mêlés. C'est la même France qui a soutenu la grève des sans-papiers, qui ne sont pas des clandestins mais des immigrés réguliers auxquels le gouvernement a retiré leurs droits.

Réduire un immigré qui ne se cachait pas pour travailler à un paria sans droits est une injustice indigne d'un gouvernement démocratique. C'est de l'ordre du vol : en refusant de prolonger une carte de séjour, on vole ses droits à l'immigré et on le pousse vers la porte, lui retirant par là même une part de sa dignité.

La victoire de la gauche aux élections législatives anticipées de juin 1997 n'est pas étrangère à cette mobilisation. Peut-être même que la défaite de la droite – à la suite d'une dissolution de l'Assemblée pour laquelle J.-L. Debré a fortement milité – trouve son origine en ce matin du 23 août 1996 où la police a évacué à coups de hache des étrangers « sans papiers » qui occupaient l'église Saint-Bernard à Paris. L'opiniâtreté de J.-L. Debré, fier de ses charters d'expulsés, s'est trompée de cible. L'immigration n'est pas un problème insoluble. En revanche, l'utiliser comme thème charriant peur et préjugés a été assez rentable pour le Front national. J.-L. Debré a pensé qu'il pouvait lui aussi s'en servir pour se maintenir au pouvoir avec ses amis. D'où le forcing auquel il s'est livré auprès d'Alain Juppé et de Jacques Chirac pour hâter la dissolution.

La défaite de la droite apparaît comme une revanche muette de ces immigrés transformés en « sans-papiers » et en « sans-droits ».

J'ai écrit *Hospitalité française* pendant l'été 1983, après l'assassinat du petit Taoufik Ouannès (11 ans), le 9 juillet. Je voulais comprendre comment on en arrive à tuer un gamin parce qu'il joue au ballon et qu'il fait du bruit. Pour analyser ce geste, il a fallu remonter très loin dans l'histoire et la mémoire de la France.

Cette première version est reprise ici dans sa quasi-intégralité. J'ai changé quelques phrases, ajusté certaines images, tenté de renforcer ma pensée en l'actualisant au regard de la France d'aujourd'hui.

Pourquoi rééditer cet essai aujourd'hui et écrire cette nouvelle préface ? Parce que le thème de l'hospitalité est plus que jamais d'actualité, et surtout le racisme de plus en plus présent en France. Dans ce domaine la situation s'aggrave d'une façon inquiétante et, dans celui des lois et des droits, on assiste à une régression manifeste avec cependant – et c'est là ce que j'appelle le paradoxe français – une intégration qui avance malgré tous les obstacles.

Un exemple significatif : lorsque, dans les années 70/80, je recevais des lettres de protestation et même d'injures racistes, elles étaient anonymes, souvent écrites dans un papier de mauvaise qualité et timbrées au tarif minimal – distribution lente. Ce qui veut dire : cet homme ne mérite pas qu'on dépense un centime de trop pour lui !

Aujourd'hui, en 1997, après avoir écrit un article dans *le Monde* pour réagir contre le projet de la loi Debré sur l'hébergement et le séjour des visiteurs en France, article intitulé « Ma mère ne viendra pas en France », j'ai reçu une trentaine de lettres racistes, toutes signées, avec le nom et le prénom, l'adresse, le numéro de téléphone ou de fax de l'expéditeur. L'insulte raciste n'est plus clandestine et honteuse. Elle s'affiche et se revendique, et ce, malgré la loi qui punit l'incitation à la haine raciale.

Les langues se sont déliées, les esprits se sont affranchis, les visages se sont découverts : curieusement, la xénophobie et le racisme s'exaspèrent, bien que l'intégration et l'assimilation soient en marche, s'inscrivant de manière irréversible dans le tissu de la société française. Ce n'est plus la différence qui fait peur, mais la ressemblance.

A ce stade, il faut reconnaître que la France est un pays ouvert, même si c'est à son corps défendant, même si certains citoyens râlent et aimeraient voir la France se conduire comme la Grande-Bretagne ou l'Allemagne, pays différentialistes et non assimilationistes. Le démographe Emmanuel Todd l'a bien démontré. Dans *L'Histoire*, n° 193, novembre 1995, il écrit : « Si vous êtes britannique, vous considérez que les hommes sont différents, sans pour autant chercher à établir une hiérarchie entre eux, et vous ne vous scandalisez pas d'avoir à cohabiter avec une communauté qui accepte le voile islamique et le mariage entre cousins. Les différentialistes voient leurs préjugés confirmés : aux différences de couleur de la peau correspondent des différences culturelles. A l'inverse, les populations universalistes se détraquent lorsque apparaissent des différences de mœurs trop sensibles. Par exemple, sur le statut de la femme. L'assimilation est perçue comme difficile, voire impossible. »

Le « droit à la différence » en tant que revendication a connu des fortunes diverses sur le chemin de l'intégration. Nous étions naïfs et sincères quand nous faisions l'éloge de la différence. Nous ne pensions pas nous retrouver piégés par les tenants du repli et de la fermeture qui ont alors entonné le même hymne à la différence. Cela voulait dire : soyez différents, cultivez vos mœurs et coutumes, creusez de plus en plus le fossé entre vous et nous, que chacun reste chez soi marinant dans sa différence. Ainsi parlait ce qu'on a appelé « la nouvelle droite », vite oubliée et avalée par l'extrême droite, dure, violente et autrement ambitieuse. Elle aurait voulu que les différences soient encore plus accentuées pour rendre toute tentative d'intégration impossible. Or c'est le contraire qui se passe : de plus en plus d'étrangers obtiennent leur naturalisation (en 1994, 126 300 personnes sont devenues françaises ; c'est le nombre de naturalisations le plus élevé depuis l'ordonnance de 1945), les mariages mixtes sont en constante augmentation (50 % des garçons et 25 % des filles d'origine algérienne vivent avec un conjoint français de souche). L'endogamie en milieu maghrébin est en nette régression.

Le signe le plus éloquent et le plus profond de l'intégration est le mariage mixte. Les enfants qui naissent de ces alliances sont le meilleur rempart contre le racisme. Une grande partie de la France s'est faite grâce à ce métissage qui a l'avantage de laisser des traces, de s'imprimer de façon indélébile dans le tissu social et de constituer une mémoire épicée.

Dans *Le Destin des immigrés* (Seuil, 1994) Emmanuel Todd signale que « le système anthropologique maghrébin est lui-même égalitaire et universaliste et ne peut opposer aucun argument solide, conscient ou inconscient, au comportement universaliste des populations françaises. [...] L'hostilité des parents maghrébins aux mariages exogames de leurs enfants, tout à fait réelle et qui dérive d'une mentalité familiale endogame, est cependant bien mal servie par l'universalisme de l'islam ». La culture islamique considère le mariage d'une musulmane avec un non-musulman comme une rupture dans la filiation religieuse et une mise en cause de la structure sociale traditionnelle, laquelle ne craindrait rien quand c'est l'homme musulman qui épouse une non-musulmane. L'infériorité du statut de la femme, telle qu'elle est maintes fois affirmée dans le Coran, trouve une application dans la division de la société et donne à l'homme une « légitimité » qui lui permet de légiférer en fonction de ses intérêts. Ainsi le code de la famille de l'Algérie et du Maroc restent, malgré les luttes féminines et l'évolution de la société civile, extrêmement rétrogrades et anachroniques. La Tunisie a réussi à se doter d'un code assez progressiste et assez juste.

La question qui se pose est de savoir si ce code rétrograde est un chiffon de papier ou s'il repose sur une attitude bien ancrée dans les mentalités des hommes, même quand ils émigrent. Quoi qu'il en soit, les enfants de l'immigration ne peuvent revendiquer un tel héritage. En ce sens, l'islam ne peut être invoqué pour empêcher qu'une autre génération ne reproduise le modèle traditionnel de la famille déplacée.

L'immigré arrive avec beaucoup de bagages. La valise entourée de ficelles est l'élément apparent de l'iceberg. Le reste est dans la tête, dans le cœur, dans le regard, dans la mémoire. Dans un premier temps, il essaie de recréer le lieu natal, le lieu de son arrachement. Il bricole quelques faits et maintient vifs certains rituels, notamment autour des fêtes, des célébrations d'événements familiaux (naissance, circoncision, mariage, décès…). Il transporte avec lui ce qu'on peut appeler sa culture. Or, la culture, c'est aussi une façon d'être, une nostalgie, l'odeur de la terre, le souffle du vent, une musique, un parfum et aussi la perpétuation d'un ordre, des coutumes et des traditions. Mais si l'immigré se sent enraciné dans ces traditions, il oublie ou ne comprend pas que ses enfants, ceux dont la première mémoire se situe en France, ceux dont les premières émotions et les premiers souvenirs appartiennent à la terre d'accueil, n'ont de liens avec cette culture que lointains et à peine formulés.

Quelle hospitalité la France républicaine et laïque réserve à une religion que ses ancêtres, certes lointains, ont combattue

avec une détermination et une foi barbares ? Les croisades –
leurs mythes et leurs symboles – ont laissé des traces et des
bribes dans l'inconscient collectif, mal informé et mal éclairé.
L'appel du pape Urbain II, le 27 novembre 1095, n'est pas
totalement tombé dans l'oubli : « Si vous laissez à présent [les
Turcs et les Arabes] sans résister, ils vont étendre leur vague
plus largement sur beaucoup de fidèles serviteurs de Dieu.
C'est pourquoi je vous prie et vous exhorte – et non pas moi,
mais le Seigneur vous prie et vous exhorte comme hérauts du
Christ – de vous hâter de chasser cette vile engeance des
régions habitées par nos frères » (cité par J.-C. Guillebaud
dans *Sur la route des croisades*, Arléa, 1993).

Amin Maalouf rappelle dans son essai *Les Croisades vues
par les Arabes* qu'on « est souvent surpris de découvrir à quel
point l'attitude des Arabes et des musulmans en général à
l'égard de l'Occident reste influencée aujourd'hui encore par
les événements d'il y a sept siècles ». Cette mémoire commune, même si elle est floue, est invoquée parfois, d'un côté
comme de l'autre, pour rappeler que les chrétiens ont porté
mort et humiliation jusqu'à la demeure des musulmans.

Il m'arrive souvent de réagir contre l'image défigurée qu'on
donne de l'islam dans certains médias. Je sais que cet islam est
déjà trahi, utilisé et malmené par des fanatiques qui font un
mal incommensurable à l'image de cette religion et de ceux
qui s'en réclament ; je trouve indécent de répercuter le discours de l'intolérance obsessionnelle quand celle-ci s'exprime
par des attentats horribles, et de faire l'amalgame entre une
religion et une idéologie totalitaire et criminelle. Je sens à ce
moment-là le besoin de rappeler que je suis de culture et
d'éducation musulmanes, que mes parents m'ont élevé dans le
respect de l'autre, en m'inculquant des valeurs universelles
contenues aussi bien dans l'islam que dans les autres religions
monothéistes. Je rappelle aussi que toute conviction doit être

personnelle, et que l'islam pourrait vivre en France dans la paix et le respect mutuel à condition qu'on cesse de le charger de maux qui ne font pas partie de sa substance. Je n'oublie pas que la France est un État laïc qui accueille d'autres religions. Il faut peut-être du temps, de la patience et de la pédagogie pour que l'islam s'insère dans le tissu social et humain de ce pays. Pour le moment, il est perçu comme une différence menaçante et récalcitrante en raison de l'exploitation idéologique et politique qu'en font des groupuscules fanatisés et sans enracinement réel dans le milieu immigré.

Quelle est, alors, la place de l'islam en France aujourd'hui ? Cette question, nouvelle, complexe et ambiguë a préoccupé aussi bien les politiques que les familles immigrées depuis la fin des années 70.

Avant, l'islam, celui de ces hommes maghrébins célibataires, était vécu dans la discrétion et le silence. Ils n'en parlaient pas. Il faisait partie de ces excédents de bagages qui les encombrent et en même temps les rassurent.

On peut distinguer trois étapes dans l'enracinement (très relatif) de l'islam en France : il y eut d'abord l'islam des caves et des garages. C'était l'époque où des hommes préféraient se retrouver dans une mosquée improvisée plutôt que dans des bistrots, tentative de résistance qui consistait à maintenir vivants les liens spirituels avec la terre natale.

Puis vint la vague des instituteurs arabes envoyés par les gouvernements des pays d'origine. Certains parents virent en eux une possibilité de contrôle. Dans l'ensemble, ce fut un échec. La pédagogie n'était pas au point et les enfants trouvaient davantage d'intérêt dans les images environnantes que dans cette plongée dans la langue de leurs ancêtres.

Ce fut enfin la vague des associations cultuelles communautaires, au caractère défensif et dont le but était d'affirmer une identité, une façon de répondre aux difficultés d'intégration, aux tracasseries administratives et policières, au racisme ordinaire et à l'exclusion de fait de la vie sociale. Cette crispation identitaire s'est renforcée avec la crise, puis la guerre du Golfe. Les jeunes ont été attirés alors par l'islam en tant que digue contre le rejet, contre le refus et les obstacles à l'intégration. Ils n'ont pas retrouvé une religion, ils l'ont découverte. C'est pour cela qu'ils disaient qu'ils se «convertissaient». Cet islam est en rupture avec celui des «vieux», des pères qui n'ont pas su leur transmettre une culture pleine et vivante. Français, arabes et musulmans, ils se voulaient citoyens à part entière dans une France qui avait négligé leurs parents et poussait leurs enfants vers la marge.

Dans un premier temps, ces jeunes «convertis» voulurent moraliser la vie du quartier, la changer, la nettoyer. Ils invitèrent les adolescents «à rejoindre le droit chemin, à rencontrer la vérité», à être fiers de leurs origines, à valoriser leur culture et à se constituer une identité équilibrée et solide. Ils visaient une intégration de l'islam, en tant que culture et civilisation, dans les rapports sociopolitiques et culturels. Ce sont les héritiers des militants civiques du début des années 80.

Dans certains cas, cette reconquête de l'identité par l'islam échappera à ses initiateurs. Une infime partie de ces militants sera tentée par la dérive intégriste. L'affaire Khalkhal, ainsi que celle du groupe parti des Yvelines faire des attentats au Maroc l'été 1995 sont l'expression d'une minorité probablement manipulée par des agents politiques venus d'ailleurs.

N'empêche, la manière dont Khalkhal a été abattu dans sa fuite, en direct à la télévision (c'était une exécution), a choqué et bouleversé l'ensemble de l'immigration maghrébine. Pour certains, il est devenu un symbole, par-delà ou à cause de l'acte désespéré qui l'a mené à cette violence.

Des associations de plus en plus nombreuses essaient de construire un «islam en France», un «islam de France». Le gouvernement français souhaite avoir un interlocuteur musulman, représentatif de toute la communauté. C'est difficile, car cette communauté n'est pas unifiée, elle est traversée de plusieurs tendances et composée de plusieurs nationalités. Cet « islam de France » devrait trouver sa place en tant qu'identité culturelle dans une société où la laïcité est un principe et une valeur. Mais pour que ces jeunes citoyens français puissent s'intégrer sans apparaître comme des « étrangers » (on n'est plus dans l'accueil), il faut que la France les considère comme ses fils, enfants du mélange, des rencontres et de l'avenir.

Ils sont deux millions. Deux millions de Français d'origine maghrébine. Comme leurs parents ou presque, ils ne comptent pas. Qui se soucie de leur existence ? Qui se soucie de leur statut dans la République ? Quel avenir peuvent-ils espérer ? Ils existent certes, mais ne constituent pas une force, un vote qu'il faut considérer, séduire et impliquer dans la vie politique. A qui la faute ? A tout le monde. D'abord à la gauche, qui ne les a pas vus venir et qui n'a pas su leur parler ; et puis à la droite traditionnelle, qui les a ignorés ou n'a traité avec eux que par police interposée ; enfin à eux-mêmes, qui n'ont pas su dépasser le militantisme associatif et se sont dispersés, sans prendre conscience de ce qu'ils représentent et qu'ils auraient pu négocier avec l'État, leur État. Les gouvernements successifs n'ont jamais reconnu ces nouveaux citoyens et traité leurs élites comme n'importe quelle élite française. Ni les socialistes ni les autres n'ont eu l'audace de nommer à un poste ministériel ou à un poste d'ambassadeur un Français d'origine maghrébine. Cela aurait été un symbole important, un signe de reconnaissance, un geste en direction de cette population vouée à se battre quotidiennement dans ses banlieues pour vivre, parfois pour survivre.

Qu'est-ce qui a empêché un tel geste ? On n'y a sans doute pas pensé, ou, pire, on s'est interdit d'y penser. Mais l'intégration se fait malgré tout, malgré les esprits chagrins. Elle avance sur un chemin où il n'y a pas que des fleurs. L'intégration culturelle se fait par l'école, mais l'intégration socio-économique n'est pas encore acceptée par une partie de la population. La discrimination à l'embauche est courante. On dirait que tout est fait pour maintenir ces Français-là dans la pauvreté ou du moins dans une classe sociale qui ne s'éloigne pas beaucoup de celle de leurs parents. Les jeunes issus de l'immigration vivent les mêmes problèmes que les jeunes Français de souche issus de milieux défavorisés, à cette exception près que, pour les premiers, joue la question ethnique.

La France a besoin de temps pour s'acclimater, pour réaliser qu'elle est en train de muer, que sa population se diversifie. Dans les années 30, elle a essayé de repousser les apports italiens et polonais. Elle a fini par renoncer à résister, a laissé faire et ne le regrette pas aujourd'hui. Ce qui ralentit l'élan de l'intégration assumée et acceptée, c'est bien sûr la blessure algérienne et l'islam. Jusqu'à quand va-t-il falloir donner du temps au temps ? Jusqu'à ce que le Front national arrive au pouvoir ?

Depuis l'élection municipale de mars 1983 à Dreux, on peut dire que le Front national donne le ton du débat national en ce qui concerne la présence des étrangers en France. C'est surtout lui qui a fait du thème de l'immigration un sujet mobilisateur, provocateur et démagogique. Sans l'immigration, il n'existerait peut-être pas. Il faudrait qu'un jour ce parti raciste, menteur et ignorant rende hommage aux millions d'immigrés qui, par leur existence, lui ont permis d'avoir tant d'adhérents et d'arriver au score stupéfiant et unique en Europe de 15 % de voix aux législatives anticipées de 1997. Il les a utilisés, insultés, méprisés, humiliés sans retenue, sans honte, sans scrupules. Quel droit de réponse ont-il face à ce déferlement de haine ? Que dire face à tant de falsification de l'Histoire, des chiffres et des textes ? Si les deux millions de Français d'origine maghrébine étaient organisés en mouvement ou même en parti, s'ils constituaient un vote, leurs voix seraient peut-être une sanction. Mais ils ne sont pas organisés, et le Front national continue de progresser.

On pourrait rappeler le machiavélisme de François Mitterrand qui a consisté, en 1986, à utiliser la proportionnelle pour faire entrer le Front national à l'Assemblée dans le dessein de diviser la droite traditionnelle. Aujourd'hui, ce parti est une réalité sociologique qui compte. Ce n'est pas un fantasme. C'est un parti fanatique qui se sert de toutes les ficelles pour ramener la France en arrière, dans une régression qui satisfait des esprits soit pervers soit simplistes, en tout cas obnubilés par la fermeture, obsédés par la peur de l'étranger et capables de passer à l'acte dès que la situation le permet.

Le discours de ce parti ressemble à s'y méprendre aux discours de tous les intégrismes : pas de pensée, que des réactions ; pas de vision, que des slogans et des clichés. Quant au racisme, c'est un produit rentable, car la haine mobilise plus facilement que le respect.

Le grand changement dans la société française réside dans le recours facile, autorisé, au discours raciste. On ne prend plus de précautions, on ne cache plus ses idées racistes, on essaie même de les justifier par la supposée inégalité des races, comme s'il y avait plusieurs races humaines, on ne fait plus attention, on ne se censure pas, on laisse libre cours à ses pensées et à ses instincts, on se défoule, on finit par croire à ses fantasmes, on se réfère avec nostalgie à la guerre d'Algérie, on nie l'existence des chambres à gaz, on reproduit les clichés liés au physique des personnes, qu'elles soient juives ou arabes, on piétine les valeurs qui ont fait la France, on incite à la haine, on en appelle au crime, on jette à la Seine un passant maghrébin, on banalise l'assassinat de l'étranger, on accable la population immigrée de tous les maux, on dénonce ses mœurs, ses odeurs, ses épices, et on laisse les portes du soupçon et de la peur grandes ouvertes, tellement ouvertes que d'autres partis de France s'y engouffrent et épousent partiellement les thèses de la falsification et de la désinformation, on pousse des immigrés normalement installés vers le statut de « sans-droits » et « sans-papiers », on les fait passer pour des clandestins, des ombres noires venues de la nuit et s'insinuant dans le sous-sol de la France, on affrète des charters, on scotche les expulsés sur leur siège et on leur met les menottes aux poignets, on fait des déclarations à la télévision disant fièrement le nombre des expulsés, l'un les compare aux oiseaux qui s'abattent sur les cerisiers, l'autre parle des « frigidaires pillés par les étrangers », on dit n'importe quoi, on utilise le choc des images et on ne s'embarrasse pas de tout confondre et de faire de l'amalgame, c'est cela le racisme, cette suspicion permanente, cette attention suspecte et maladive à tout ce qui pourrait déstabiliser une population qui a bien du mal à vivre en paix. Autre changement : depuis 1984, la législation française ne cesse d'aller dans un sens restrictif et répressif pour ce qui est des droits des étrangers en France. Ainsi est née dans l'opinion publique l'idée d'une menace contre laquelle il faut se protéger par une inflation de lois : restriction du droit au regroupement familial, instauration des visas (1986), modification du code de la nationalité avec une renonciation partielle du droit du sol, etc.

Au-delà des pétitions de principe, la gauche n'a pas su empêcher l'affaiblissement des idées républicaines. L'opinion, travaillée par les discours convergents du Front national et de la droite traditionnelle, affiche dans sa majorité une hostilité à l'égard de l'intégration et finit par penser que l'une des origines de la crise, du chômage et de l'insécurité se trouve dans la présence des immigrés.

La gauche n'a pas été vigilante et n'a pas fait son travail. Au lieu de faire évoluer l'opinion en allant à contre-courant, en rétablissant la vérité des faits, des chiffres et de l'Histoire, au lieu de s'engager dans un processus de défense et de protection des immigrés, elle s'est faite discrète, timide, et a suivi en silence cette opinion maltraitée par une crise économique qui a aggravé la crispation identitaire et le sentiment de rejet à l'égard des étrangers.

En arrivant au pouvoir en 1981, la gauche a eu le courage d'aller contre l'opinion publique en abolissant la peine de mort. Elle n'a pas eu ce courage quand il s'est agi de mettre sur pied une vraie politique d'accueil, d'hospitalité et d'intégration. Elle est passée à côté de ce qu'on a appelé « la deuxième génération ». Elle l'a vue émerger durant le printemps de la « Marche pour l'égalité », elle l'a vue grandir et l'a laissée improviser un destin fait de bric et de broc.

Il est symptomatique que dès le soir du 1er juin 1997, parmi les militants et les sympathisants du parti socialiste venus à la Maison de l'Amérique latine fêter la victoire de la gauche aux élections législatives, un nombre important de manifestants réclamèrent la régularisation des « sans-papiers » et une nouvelle politique de l'immigration. Si l'on doit redonner à « la politique de la vertu », slogan de Lionel Jospin durant la campagne électorale, c'est là qu'on l'attend en priorité.

L'arrivée des socialistes au gouvernement en 1981 a nourri un grand espoir civique et politique chez cette génération de jeunes issus de l'immigration. Cet espoir n'a pas abouti. Il a été dévoyé par des tentatives maladroites de récupération ou par la marginalisation de ceux qui ne faisaient pas la même analyse que le parti socialiste en matière d'intégration, et, conséquence de cette régression, le désespoir a conduit certains jeunes à trouver dans le refuge islamiste une forme de résistance, de défense et d'identification.

La crise du politique vient de ces ratages, ces échecs qui

pèsent lourd dans l'histoire. On ne court pas derrière une opinion qui n'a plus de pudeur ou de honte à être séduite par des positions extrêmes, des idées manichéennes fondées sur des sentiments de peur et de désarroi.

Aujourd'hui, le Front national ne cesse de consolider son enracinement. Avec près de 15 % des suffrages exprimés aux législatives de 1997, il progresse de plus de deux points par rapport aux législatives de 1993 et rejoint son score présidentiel de 1995. « Personne ne contestera, écrit dans *le Monde* du 29 juin 1997 Nonna Mayer, chercheuse au Centre d'études de la vie politique française, que l'hostilité aux immigrés soit le ressort fondamental du vote Le Pen. Élection après élection, c'est, avec l'insécurité, la motivation prioritairement avancée par ses électeurs. Il est moins sûr que ce vote soit engendré par le voisinage forcé entre populations autochtone et immigrée. La plupart des études menées depuis quinze ans au niveau d'unités géographiques plus restreintes et, partant, plus homogènes que le département – canton, commune, quartier ou îlot – montrent que les électeurs qui donnent le plus de voix au Front national ne sont pas nécessairement en contact direct avec les étrangers. » C'est dire combien l'image de l'immigré est de l'ordre de l'image subliminale. Il suffit de l'évoquer pour provoquer la peur. Pourtant, en le voyant, en le dévisageant, en vivant à côté de lui (je ne dis pas *avec lui*), en posant sur lui un regard, peut-être lui conférerait-on une existence, une reconnaissance qui le rendrait (presque) semblable, donc fréquentable. L'ignorance est la meilleure alliée de la peur et, par conséquent, du racisme. Loin de la vue et de l'odorat, proche du ressentiment.

Le Front national a martelé avec obstination, de manière névrotique, ses idées fausses sur l'immigration. Des médias ont répondu à ce matraquage, ont démonté le mécanisme du faux et de l'intoxication, des intellectuels ont réagi et dénoncé cette avancée du racisme, des études très sérieuses ont été publiées, des émissions de radio et de télévision ont été organisées pour alerter l'opinion sur le danger des thèses de ce parti, les mouvements antiracistes (le MRAP, la LICRA, SOS Racisme, des associations de solidarité avec les immigrés, des associations d'immigrés, etc.) ont chaque fois répondu au délire de Le Pen, des procès lui ont été intentés et gagnés, bref, la France civile est vigilante. Le pire, c'est qu'on a l'impression que cela ne sert à rien, ou que c'est insuffisant. En tout cas, face au déferlement des porteurs, de plus en plus nombreux, des idées sombres et simplistes du rejet et de la fermeture, nous sommes tous appelés à faire notre autocritique, à changer notre stratégie de défense, à inventer un nouveau langage, à trouver une nouvelle énergie et à avoir de l'imagination pour empêcher que l'enracinement d'un parti raciste ne s'étende et progresse.

Si la gauche a oublié de militer, la droite traditionnelle a été obsédée par l'existence du Front national. Elle a anticipé ses projections, s'est inspirée de son programme, et n'a cessé de multiplier les tentatives de séduction en direction des électeurs lepénistes. Au lieu de combattre ses thèses fantaisistes et dangereuses, fondées toutes sur la pulsion raciste du « vivre entre soi », désignant l'étranger comme porteur d'insécurité, de menaces de toutes sortes, la droite a durci les conditions d'entrée et de séjour des immigrés – ou même de simples visiteurs –, envoyant de la sorte des signes à ces Français qui pensent préserver leur être et leur identité de tout apport non reconnu.

On ne combat pas le racisme en réduisant le nombre de ceux dont l'existence provoque des réactions épidermiques de rejet – en les rendant invisibles. Cette façon de faire est plus politicienne que politique, elle ne résout rien et reste une vue à très courte portée. (La loi Debré en est un exemple éloquent.)

Lorsque Le Pen a parlé de « l'inégalité des races », tout le

monde a été scandalisé par le mot « inégalité ». Mais la première erreur à relever est l'affirmation qu'il existe « des »
races. Il n'existe qu'une seule race humaine, composée d'ethnies différentes ayant des cultures différentes et des couleurs
de peau différentes. Ce racisme-là est avant tout culturel, la
race étant le tronc commun de l'humanité. Cette distinction
n'enlève rien à l'absurdité des affirmations de ce genre.

Comme le souligne le professeur Philippe Rouger, directeur
général de l'Institut national de la transfusion sanguine, dans
un article paru dans *le Figaro* du 1er janvier 1997 : « A
l'époque coloniale, la notion de race fut utilisée pour justifier
l'asservissement économique et politique des populations
colonisées. Dans les années 30, la même notion devint l'ins-
trument principal de la doctrine hitlérienne, servant de motivation à la perpétration des horreurs que l'on connaît. A l'issue
de la Seconde Guerre mondiale, cette notion évolue pour
recouvrir aujourd'hui celle de groupe populationnel. [...] Les
races pures, dans le règne animal, ne peuvent exister qu'à
l'état expérimental, au laboratoire, avec des souris ou des dro-
sophiles par exemple. [...] Concrètement, il existe plus de différences socioculturelles entre un Chinois, un Malien et un
Français, que de différences génétiques. » Disons que ce que
le nazisme appelait « pureté de la race » est devenu aujour-
d'hui « identité culturelle ».

La préservation de l'identité s'accompagne d'une pulsion
perverse et silencieuse : elle engendre fermeture, repli sur soi,
sur ce qui fonde sa culture, ses héritages nettoyés, purifiés.
C'est aussi au nom de la reconquête de l'identité perdue
(effacée par la colonisation) que ceux qu'on appelle « isla-
mistes algériens » commettent les pires massacres. Le rejet de
l'Autre devient la hantise de sa propre existence. Je ne peux
exister que si l'Autre n'a plus d'accès à ma demeure. Je ferme
portes et fenêtres, et je tire sur les symboles que les « agents »
de cet Autre véhiculent.

L'identité est en train de remplacer la fonction de la notion de race. Se retrouver, marquer son territoire, se préserver du froid, de la chaleur, du contact et du mélange, apparaît légitime chez tous ces militants qui ne savent plus à quelle idéologie se vouer. Comme le fameux « droit à la différence », la préservation de l'identité culturelle devient la forteresse dans laquelle des hommes vont se barricader et tirer à vue sur tout étranger à cette identité qui se présente. Nous sommes dans la névrose à l'échelle des peuples. En ce sens, l'intégrisme religieux est une névrose phobique au même titre que le discours et les actions d'un parti d'extrême droite qui rêve de renouer avec les thèses ségrégationnistes, séparatistes et guerrières telles qu'elles ont existé en Afrique du Sud ou, plus loin encore, telles qu'elles ont été appliquées par le nazisme.

Cette référence au passé européen n'est pas exprimée directement ; elle est insinuée. La revendiquer tomberait sous le coup de la loi. N'empêche que Le Pen laisse entendre sa préférence en faisant des jeux de mots désastreux ou simplement en disant et répétant que « les chambres à gaz sont un détail de la Seconde Guerre mondiale ».

Aujourd'hui, le parti de l'extrême droite s'installe dans la légitimité qu'autorise la démocratie. Il a obtenu 15 % des suffrages exprimés aux législatives anticipées de juin 1997. Il a un député à l'Assemblée nationale qui dit « être là pour parler au nom de quatre millions d'électeurs ». La défaite puis les divisions de la droite traditionnelle sont les conséquences d'une politique molle et ambiguë à l'égard de l'extrême droite. Au fond, les immigrés, parqués dans leurs cités, repliés dans leur silence, oubliés du bonheur, qui ne constituent ni un lobby ni un vote à séduire et à valoriser, finissent par s'insinuer dans les méandres invisibles, souterrains de la politique de ce pays. A la gauche qui va cohabiter durant cinq années avec un président brave mais ligoté par la pensée rétrograde, il faut dire : ne vous trompez plus de sujet en vous occupant de l'immigration. Certes, l'immigration nécessite une politique rationnelle, humaine et juste. Il faut lutter contre la clandestinité (car les clandestins portent un grand préjudice aux immigrés légaux), il faut lutter sans aucune ambiguïté contre le racisme sous toutes ses formes, il faut savoir parler à ceux qui ont suivi le fanatisme lepéniste par dépit, désespoir ou ignorance, et les convaincre des valeurs républicaines.

Pour cela, il est nécessaire de repenser la notion d'hospitalité et d'accueil. Révisons la perception qu'on a du phénomène migratoire en le situant dans cette inégalité flagrante de développement des pays du Sud par rapport à ceux du Nord. Encore une fois l'immigration n'est pas une fatalité ni une source inépuisable de problèmes. C'est un état de fait, conséquence de l'évolution de l'Histoire et des bouleversements économiques. Il faut rectifier les idées fausses et démonter les mécanismes de l'ignorance et de l'amalgame. Il faut apprendre aux écoliers l'histoire de l'immigration comme on leur apprend l'histoire de ce siècle, puisqu'elle fait partie du patrimoine de leur pays. On ne peut lutter contre le racisme si on ne s'attaque pas à l'ignorance, aux préjugés et aux pensées toutes faites sur l'immigration. C'est un travail pédagogique quotidien dès l'enfance.

Au début de cette introduction j'ai évoqué ma mère. C'est à elle que je fais symboliquement appel pour clore cette réflexion, avec l'article publié dans *le Monde* du 18 février 1997 sous le titre « Ma mère ne viendra pas en France ».

Ma mère ne viendra pas en France

Et si je faisais venir ma mère pour passer quelques jours chez moi, en France ? Elle viendrait par avion de Tanger et resterait le temps qu'elle désirerait auprès de ses petits-

enfants. Elle serait si heureuse. Simple. Normal. Non. Pas si simple que ça. C'était possible il y a longtemps, avant l'été 1986, le fameux été où Paris fut le théâtre d'attentats meurtriers. Avant, elle n'aurait eu besoin que de son passeport valide et de son courage pour prendre l'avion.

Aujourd'hui, cette simple visite est rendue si compliquée et surtout si peu souhaitée par ceux qui gouvernent la France que je préfère y renoncer. Je ne me vois pas en train de jouer à la police des frontières avec celle qui m'a appris la générosité et l'hospitalité. Je connais un ami marocain devenu français, marié avec une Française et ayant trois enfants, tous français, qui n'a pas réussi à faire venir sa mère pour fêter la naissance de son dernier fils.

Comme vous savez, une étrangère de 70 ans pourrait troubler l'ordre public ou même prendre le travail d'une Française. On ne sait jamais, et puis, on ne se méfie pas assez. Le consulat de Casablanca a jugé que cette grand-mère n'avait pas le droit d'aller en France. Il n'a pas donné de justification. Ce fut un refus net et sans commentaire. De toute façon, un visa n'est pas forcément un droit. Des exemples de ce type existent par milliers. Il vaut mieux ne pas tous les citer. L'instauration du visa a « autorisé » des petits chefs à exercer leur petit pouvoir teinté de racisme ordinaire, qu'ils refoulaient avant.

Donc nous étions au mois d'août 1986. A l'époque, le terrorisme avait une odeur proche-orientale. C'était la manière que des États, comme l'Iran ou la Syrie, avaient trouvée pour faire pression sur la France afin qu'elle change de politique dans cette région du monde, au Liban notamment. Cette stratégie du chantage à la terreur fut payante. A la moindre résistance ou hésitation, on assassinait sur le terrain des Français, par exemple un ambassadeur ou de simples soldats.

Le Premier ministre de l'époque, Jacques Chirac, eut l'idée de « terroriser les terroristes » en imposant un visa d'entrée et de sortie de France à tous les ressortissants arabes. Tous sans exception, en bloc. Les Proche-Orientaux et les Maghrébins. Les nomades et les sédentaires. Les bruns et les blonds. Les travailleurs manuels et les intellectuels. Les hommes d'affaires et les touristes. Les étudiants et les malades. Les cousins et les grands-mères.

Depuis, on n'a pas cessé d'apporter des « améliorations » aux conditions extravagantes pour avoir le droit de fouler le sol français. Les Algériens, qui ont des raisons de ne pas se laisser faire, ont répondu par la réciproque. Dent pour dent. Visa pour visa. Chaque ministre de l'Intérieur se sent obligé de faire de la surenchère par rapport à son prédécesseur. M. Debré a un complexe par rapport à M. Pasqua. Alors il serre la vis. Normal. Il ne veut surtout pas laisser l'image d'un homme faible, disons un homme politique qui aurait cédé aux traditionnelles valeurs de la République française.

Ces valeurs se trouvent aujourd'hui dans un état peu reluisant. Qu'importe. Le Front national veille. Il ne faut pas le décevoir. Il faut même démontrer qu'on sait être injuste et lui couper l'herbe de l'exclusion sous le pied. Pendant ce temps-là, le président de la République se tait, laisse faire et prépare avec ses collaborateurs le prochain sommet de la francophonie à Hanoi.

C'est quoi, cette francophonie qui s'élabore à côté des lois Debré ? Tous les hommes politiques français disent s'inquiéter de l'avenir de la langue française dans le monde, et certains rendent hommage à ceux et à celles qui, non seulement continuent de parler cette langue, mais l'écrivent, l'enrichissent, l'embellissent et la défendent à des milliers de kilomètres de Paris. La francophonie est incompatible avec la politique actuelle de l'immigration. Ou alors, il vaudrait mieux dire les choses avec cynisme et affirmer que cette histoire de francophonie n'est qu'un gadget politique garantissant à la France des intérêts économiques non négligeables ainsi qu'une aire d'influence importante.

Bruno Mégret dit et répète après son chef et maître que le FN expulsera tous les étrangers et taxera ceux qui les font travailler. Des économistes ont déjà démontré la nullité de ce genre de décision.

Mais comment feraient ces fanatiques de la haine et du racisme avec la langue française qui comporte des milliers de mots étrangers ? Ne faudrait-il pas entamer dès à présent un « nettoyage linguistique » ? Difficile de faire des phrases compréhensibles où il n'y aurait que des mots français 100 %. Il faudrait commencer par expulser plus de quatre mille mots d'origine arabe. On peut essayer de vivre avec une langue pleine de trous. Cela formerait l'imagination et donnerait du travail aux nouveaux linguistes.

Voilà pourquoi ma mère ne viendra pas en France. Je ne lui dirai pas les vraies raisons. Ce serait difficile, et puis elle ne me croirait pas. Elle me dirait : « Mais, mon fils, qu'est-ce que tu fais là-bas ? »

Cet article m'a valu une trentaine de lettres qui peuvent être qualifiées de racistes. Celle qui m'a le plus ébranlé et qui m'a surpris vient d'un Français d'origine maghrébine qui ne mâche pas ses mots ni ne modère son ardeur. En voici un extrait, après quelques phrases bien méchantes : « Tu sais, Tahar, je suis un immigré moi aussi et Français depuis cinquante ans. C'est ma nationalité d'adoption certes, mais Français à 100 %. Je dis merci France pour tout ce que tu m'as donné. Merci France pour la liberté de dire ce que je veux, où je veux, quand je veux. Merci France pour la pluie et le soleil, pour les orages et le calme plat, merci France pour tes deux mille ans d'histoire dont je suis héritier. France je t'aime comme tu es. France tu es belle et mon amour te rend au centuple ce que tu m'as donné. Oui, ta mère a raison. Va-t'en. »

Je ne sais pas si ce Français heureux va jusqu'à donner sa

voix à un parti extrémiste, mais il me rappelle les quelques Arabes ou même Juifs qui ont adhéré au Front national et que les dirigeants de ce parti exhibent comme alibi pour nier leur racisme. Je ne sais pas comment on appelle ce syndrome. C'est peut-être celui dit « de Stockholm ». Mais rejoindre le camp des antisémites pour un Juif ou le camp des anti-Arabes pour un Arabe relève plus de la sociopsychiatrie que de l'analyse politique. Le racisme, c'est d'abord la haine de soi. Quand cette haine est érigée en système, elle part de soi et englobe tous ses semblables. Je me souviens d'un camarade du lycée Regnault à Tanger au début des années 60, en pleine guerre d'Algérie, un garçon de milieu pauvre qui avait honte de ses origines, honte de ses parents, honte de son nom arabe, de sa tête d'Arabe, de ses cheveux crépus, de ses yeux noirs et de son accent qui le trahissait quand il voulait se faire passer pour Européen. Il fréquentait un groupe de Français minés par la peur d'être appelés à partir sur le front en Algérie et qui développaient un racisme anti-Arabe et antimusulman. Lui-même en rajoutait, tellement sa propre image l'insupportait.

Devenir français est une démarche normale et naturelle pour un immigré qui travaille et vit légalement en France. Aimer ce pays, et le dire, est tout à fait légitime. Renier ses racines, les enfouir dans un sac de terre noirâtre et uriner dessus, cela n'est pas digne, et la France, pays de la Déclaration des droits de l'homme, ne le demande pas. Au contraire, elle accueille, mélange et aime, au fond, que les couleurs saillantes d'autres cultures apparaissent au grand jour, comme elle ne se bouche pas le nez devant les marmites où mijotent des épices du monde entier et ne répugne pas à afficher des corps métissés dans sa publicité.

Il est symptomatique que le Premier ministre, Lionel Jospin, ait abordé dès les premières minutes de son discours de déclaration de politique générale devant l'Assemblée nationale, le

19 juin 1997, les thèmes de l'immigration, de l'intégration et de la nationalité. Sa première décision à son arrivée à l'hôtel Matignon a été de régulariser les 40 000 immigrés sans papiers. Il a promis par ailleurs de mener une lutte efficace contre les clandestins, souvent exploités par des filières esclavagistes, situation qui provoque des retombées négatives sur les immigrés réguliers.

Une ère nouvelle a peut-être commencé pour l'immigration. Je cite Lionel Jospin : « Cette nation, nous la voulons forte et soudée ; nous la voulons aussi vivante et ouverte. La France, vieux pays d'intégration républicaine, s'est construite par sédimentations, creuset donnant naissance à un alliage d'autant plus fort que ses composants étaient divers et nombreux. [...] L'immigration est une réalité économique, sociale et humaine qu'il faut organiser, contrôler et maîtriser au mieux, en affirmant les intérêts de la nation et en respectant les droits de la personne. [...] La République accueille ses hôtes selon ses lois, qui doivent être claires et précises. L'immigration irrégulière et le travail clandestin – dont je sais qu'il n'est pas le seul fait des étrangers – seront combattus sans défaillance parce que l'un et l'autre compromettent l'intégration et parce qu'ils sont contraires à la dignité des immigrés. »

Espérons que nous n'aurons pas à rappeler à M. Jospin ce texte qui se situe au-delà des promesses et qui vise une nouvelle politique de l'immigration dans le respect des droits de la personne, avec un esprit d'ouverture et d'hospitalité.

Paris, mai-juin 1997.

I

Les lois
de l'hospitalité

L'hospitalité a ses lois. Elles ne sont pas écrites, mais font partie des valeurs et des principes d'une civilisation. Elles impliquent tantôt des droits, tantôt des devoirs.

Certains peuples sont plus hospitaliers que d'autres : généralement ceux restés plus près de la terre et qui vivent dans les grands espaces, même pauvres. Les pays industrialisés, obéissant à une rationalité froide, ont dû désapprendre l'hospitalité. Le temps est précieux ; l'espace, limité. Il y règne un manque de disponibilité, c'est-à-dire de générosité et de liberté, car tout est calculé, tout est mesuré. Les portes se ferment. Les cœurs aussi. Reste l'individu dans son intimité, un univers où le repli sur soi cultive l'égoïsme et la solitude.

Les sociétés européennes se sont enrichies. Leur niveau de vie moyen est trois à quatre fois plus élevé qu'il y a un demi-siècle. Elles ont assuré au citoyen confort et privilèges, le développement économique s'est poursuivi ; à présent l'individu vit un malaise ; il pressent la fin d'une époque et aussi d'un mode de vie. Il se sent menacé et bientôt abandonné face à la mutation du monde. Il voit la prospérité lentement s'estomper, une prospérité acquise grâce aux colonies et à l'exploitation sans scrupules des richesses du Tiers-Monde. La période est alors favorable au repli et à la peur ;

elle met l'individu dans une position défensive, et provoque chez lui des sentiments de rejet quasi instinctif de l'étranger. Ce n'est pas le moment de lui demander d'être ouvert et accueillant.

L'hospitalité française est ainsi ruinée, rendue difficile, voire impossible. C'est l'époque du malheur balbutiant. Plus de place, plus de temps pour la gratuité du geste, pour comprendre, accepter celui-là au regard hésitant, venu d'une autre durée.

Au contraire, on va reporter sur l'immigré le poids du malaise et de la crise. Cela n'est pas nouveau. « La France aux Français » est un cri qui vient de loin. Il a presque un siècle. C'était la devise de la Ligue antisémite fondée en 1889 sous l'égide d'Édouard Drumont, l'auteur de *la France juive*. C'est presque traditionnel : à chaque crise économique grave, des voix se sont levées pour désigner l'étranger comme responsable ; ombre menaçante, corps non regardé parce que non reconnu, et pourtant corps présent et coupable par avance. Coupable de quoi au juste ? D'être là, de travailler, de se déplacer avec le village dans le regard, avec ces quelques bribes de vie qui se veulent les signes extérieurs d'une culture. Hier, on ne supportait pas la présence des juifs en France. Aujourd'hui, ce sont les immigrés, arabes notamment, qu'on charge de beaucoup de maux avec la même mauvaise foi, le même aveuglement. « J'ai toujours connu en France, écrit Jean Genet, ce racisme qui est son tissu le plus serré, mais changeant. Tout jeune, on détestait les Juifs et on adorait les Marocains et les Sénégalais, nettoyeurs de tranchées. A l'agressivité des Français durant les conquêtes coloniales s'est ajouté un racisme presque naturel » (*le Monde*, 11 novembre 1979).

L'hospitalité française s'est dégradée à partir du moment où seul l'intérêt immédiat a prévalu dans le recrutement et l'installation des travailleurs étrangers. Elle s'est laissé lentement gagner par le calcul froid ; elle n'a plus veillé sur le respect des personnes déplacées. Ni leur dignité ni leur sécurité n'ont été assurées.

Le cas de la France est paradoxal : ce pays a été et demeure une terre d'asile unique en Europe. Plus de 130 000 personnes venues de pays et d'horizons politiques différents jouissent en France du statut de réfugié politique. Il faut ajouter à ce chiffre celui des 4 000 apatrides. Dans ce domaine, l'hospitalité française est exemplaire. Elle reste fidèle aux principes de la Révolution de 1789.

Charles Péguy aimait prendre la défense de cette France, patrie des droits de l'homme : « La France n'est pas seulement la fille aînée de l'Église (...) elle a aussi dans le laïque une sorte de vocation parallèle singulière, elle est indéniablement une sorte de patronne et de témoin (et surtout une martyre) de la liberté dans le monde [1]. »

Terre d'asile et de liberté pour ceux qui ont dû fuir une dictature, un régime politique qui ne tolère aucune opposition, un pays sous haute surveillance.

Terre d'asile et d'exil où l'immigration est une nationalité en soi, une violence et une condition dévalorisée. Parce que l'immigré est celui qui se salit les mains, qui travaille avec son corps et l'expose au risque, à l'accident, au rejet.

Il y a quelque ironie à vouloir témoigner sur le racisme antimaghrébin en France en évoquant ainsi cette notion vieillie et démodée qu'est l'hospitalité. Le tourisme de groupe organisé et programmé dans les pays maghrébins est en train à son tour de pervertir cette tradition arabe. Ainsi le Maghreb des villes est devenu moins hospitalier que celui des montagnes et des plaines. L'espace habitable s'est rétréci ; il a été découpé sans tenir compte du visiteur impromptu. On révise un peu les modalités de l'hospitalité. Le Maghrébin a gardé

---

1. *L'Argent suite,* Gallimard, Paris, 1913.

cependant le cœur grand et reçoit les gens « sur la tête et les yeux ».

Ce livre n'a pas été écrit pour culpabiliser une société, mais simplement pour témoigner sur une époque, avec ses contradictions, ses bavures et ses silences. Une époque et trois partenaires : l'État français, les États maghrébins et la grande masse silencieuse des immigrés qu'on ne consulte jamais. La responsabilité est ainsi partagée, même si l'on a tendance à davantage accuser la France et les Français.

Ce livre, je l'ai senti comme une urgence, une espèce de brûlure dans le ventre, parce que je suis arabe, vivant entre la France et le Maroc, parce que je suis des deux rives, concerné par la blessure, impliqué, engagé dans ce qui arrive, et bouleverse le paysage immigré, parce que le racisme n'est pas qu'une animosité désespérante mais aussi un état de fait qui tue. Et cette mot échoue ici et là-bas dans une espèce d'indifférence due à la fatalité ou à l'inconscience.

Après l'assassinat de Taoufik Ouannès le 9 juillet 1983 (onze ans), à la cité des « 4 000 » à La Courneuve, je me suis mis à écrire sur le dérapage d'une civilisation. C'était là une nécessité, un besoin d'aller au-delà de l'indignation, au-delà de l'émotion et de l'humeur blessée. Au cours de la rédaction, d'autres meurtres de Maghrébins eurent lieu à travers la France. J'ai failli arrêter d'écrire, tant les mots me paraissaient vains.

Un livre c'est peu de chose ; et pourtant mon ambition est d'ouvrir des fenêtres dans la demeure du silence, de l'indifférence ou de la peur.

Le gouvernement français a pris, à l'automne 1983, un certain nombre de mesures pour l'insertion des immigrés dans le tissu social : des dispositions fermes pour lutter contre l'immigration clandestine, des souhaits et encouragements (cela n'a pas force de loi) pour l'insertion. Il faudra attendre pour voir si les lois et décisions seront assez fortes pour déblayer le terrain malsain des mentalités, des habitudes et de quelques vieilles et lourdes traditions xénophobes.

Une semaine après ces mesures, une majorité dans la ville de Dreux s'est exprimée dans le sens du rejet des immigrés ; elle a donné au premier tour de l'élection municipale 59 % de ses voix à l'ensemble des candidats de droite (dont près de 17 % au candidat du Front national, extrême droite) qui a basé sa campagne sur la haine anti-immigrés.

Mais, au-delà d'une municipalité perdue par la gauche, le cas de Dreux serait important s'il provoquait au sein des progressistes français une réflexion approfondie, sans calcul, sans peur ni complaisance, de la question immigrée. C'est un sujet qui est souvent abordé avec gêne et malaise. On n'ose pas dire les choses, nommer sans mauvaise conscience le racisme d'une partie de la classe ouvrière et désigner les racines du mal, quitte à déplaire à certains électeurs.

Dans cette France de la disgrâce, le sort des immigrés n'est pas seul en cause. Comme le dit si bien Michel Albert dans *le Pari français*[1], « à croissance molle, société dure » !

Je rappellerai simplement que l'agressivité de la société est une forme de désespérance, une perturbation dans ses repères.

Le devenir de la culture et de la civilisation du pays des droits de l'homme et de la loi contre l'incitation à la haine raciale dépend aussi des portes qui s'ouvriront pour la coexistence et le métissage.

Il n'est pas évident d'arriver à vivre ensemble, même si la France, de par l'histoire et son tissu social, est une société multiraciale. En tous les cas, c'est une réalité à ne pas enjamber en refusant de la voir, de la reconnaître dans sa

1. Éditions du Seuil, Paris, 1982.

complexité, sa richesse et ses risques, à ne pas couvrir du voile trouble d'un malheur sans dénouement.

Depuis que je vis en France, j'ai le sentiment d'assister à la vieillesse d'un visage où les rides sont d'anciennes blessures. J'ai appris qu'une civilisation commence à déchoir à partir du moment où elle se concentre uniquement sur elle-même, où elle se replie sur ses souvenirs, et que sa capacité d'accueillir, de travailler et de vivre avec l'étranger se trouve de plus en plus réduite. Voire! Elle devient hostilité déclarée, agressivité active, brutalité ordinaire.

Comme c'est curieux! Il est des souvenirs que la France aime répudier. On cultive l'oubli, quitte à ce que certaines valeurs perdent de leur qualité et de leur éclat. Celles par exemple de la France anticolonialiste s'effacent. Elle blêmissent. Qui s'en émeut? Au contraire, on cherche à déculpabiliser et à donner bonne conscience à ceux qui n'hésitent pas à se désolidariser d'avec le Tiers-Monde et par extension d'avec les immigrés.

Le meurtre raciste a le privilège de se passer de motifs. Les valeurs culturelles et spirituelles de cette nation ne sont plus assez vives, assez fortes pour constituer un barrage dissuasif face à la barbarie de quelques individus décidés à précipiter le pays dans le désordre et la haine.

C'est un meurtre rituel à forte dose et portée symboliques. Ainsi, quand un commando ou un individu tire sur un Arabe – adulte ou enfant –, quelles que soient les justifications invoquées *a posteriori*, ce geste est chargé de significations qui tiennent leur substance d'une logique située au-delà de la morale : en tuant un Arabe par hasard ou après une dispute, on voudrait signifier qu'une brisure essentielle est en train de s'opérer dans le stock des valeurs républicaines.

Le droit à l'intolérance signifie aussi le « droit » à la décadence : cela peut se manifester par le triomphe des certitudes et des idées étroites, ou bien, et en même temps, de manière plus violente, par le crime organisé ou spontané.

Le repli sur soi est un mécanisme de défense et un réflexe de peur ; il annonce la fermeture de quelque chose – une porte, une frontière, une mémoire, un visage qui se détourne, un silence qui s'impose – et brise un miroir, là où se reflète l'image d'un pays et d'une société qui ne se reconnaissent pas dans le désordre vivant et riche de populations mélangées, au seuil du métissage.

On parle de vieillesse à propos des sociétés européennes : maladie des os et usure de l'âme. La vieillesse naturelle est en soi une belle étape dans l'âge des êtres. Elle est un handicap dans celui des nations. Ce qui s'use, ce n'est pas l'homme mais la volonté, le désir, la conviction. La France manque de passion, cet « affrontement entre le monde extérieur et l'âme », dont parle Hermann Hesse.

Or, l'âme de la France, personne ne sait où elle s'est cachée. Tant de certitudes ne favorisent pas l'ouverture sur les autres, ne nourrissent pas l'imaginaire, ne stimulent pas le désir d'un peu plus de folie, d'ivresse et d'audace.

La jeunesse s'ennuie ; dépolitisée, surtout après Mai 68, elle est empêtrée dans l'angoisse du futur et ignore le tiers et le quart monde qui grouillent à la périphérie de sa cité. Ce sont des enfants dévastés dans un corps étroit qui a perdu la faculté de s'étonner, cet enthousiasme créateur empêché aujourd'hui par la morosité et l'inquiétude. Le sort des immigrés, dont elle côtoie les enfants au collège ou à l'Agence nationale pour l'emploi, ne l'intéresse pas. Elle doit elle aussi se sentir menacée par la présence en France de ces milliers de jeunes à l'identité trouble et à l'avenir incertain. Notre génération, aussi bien au Maghreb qu'en France, était beaucoup plus curieuse du monde et des différences.

Une civilisation qui est sur le retour, comme on dit, n'a plus ni le temps ni la liberté de faire ses comptes et surtout de faire le propre — le tri — dans son passé : reconnaître par quelles étapes et quelles aventures la nation est devenue ce qu'elle est : une puissance industrielle.

Les volontés se désagrègent, le doute s'absente, la réflexion sombre dans de faux problèmes, les grandes ambitions font place à des calculs égoïstes ; on renonce aux archives de l'universel et à la rigueur dialectique de l'échange. La nation perd la fidélité à ses principes, ou plus exactement s'en détourne.

C'est peut-être le moment pour la France, citadelle du doute, de prendre acte de cette pâleur, de sortir du territoire des illusions et d'aller vers les autres. Or, la réaction d'une partie de cette nation a été et reste un repli sur elle-même sans rien abandonner de ses prétentions, ni de l'épaisseur de sa vanité, et sans peut-être voir que le centre du monde qu'elle fut s'est déplacé.

Alors tout vieillit, des structures aux principes, de la grandeur (d'âme) aux passions créatrices, de la capacité de résister aux fissures à la volonté de s'inscrire dans un dessein historique.

Tout s'essouffle et s'épuise : la fièvre et l'exaltation, l'effort et la lucidité.

Il ne s'agit pas, comme l'écrit Cioran, de « claironner des dogmes au milieu des âges exténués où tout rêve d'avenir paraît délire ou importun [1] », mais tout simplement d'accepter de vivre ensemble, ou du moins d'accepter les autres venus de terres pauvres et anciennement dépossédées, de les reconnaître dans leurs cultures. En fait, l'expression de leur imaginaire

---

1. *Précis de décomposition*, « Idées », Gallimard, Paris.

est tolérée tant qu'elle reste marginale et dominée. Or, ce que réclament les immigrés, c'est le droit de vivre comme les autres citoyens et ne plus être considérés seulement comme une force de travail interchangeable. Ils ont des devoirs mais manquent de droits [1].

Le repli sur soi n'implique pas un recul, mais instaure une distance, une barrière, des portes verrouillées, un mur de méfiance.

Oubli et indifférence s'accumulent sur l'ignorance. La société prend froid ; elle a peur d'assister à sa propre décomposition. Alors, elle se défend sans même être directement attaquée. Elle revient sur les pas de son histoire récente, et pratique non l'autocritique mais la déculpabilisation.

Comme si l'histoire avait été écrite sur des feuilles volantes qu'un simple coup de vent disperse et renvoie au néant. Cette attitude, qui se voudrait une légitime défense alors qu'elle prend l'allure d'une offensive devançant la critique, est un signe de malaise profond.

La jeune droite — elle n'est ni nouvelle ni traditionnelle — fait ainsi une lecture particulière de l'histoire. S'agissant des peuples anciennement colonisés, elle voudrait se débarrasser (et aussi pousser les autres à jeter dans la corbeille du psychanalyste toute mauvaise conscience) de toute conscience malheureuse à l'égard d'un passé qu'elle n'a peut-être pas connu, comme les dernières guerres coloniales.

Il n'est pas question ici de défendre le Tiers-Monde contre l'Europe qui s'est nourrie de ces terres lointaines. Il s'agit non pas de perpétuer le souvenir de la faute, ou de peser encore

---

1. On pourrait, bien sûr, me rappeler comment les États du Golfe traitent les immigrés venus des pays « frères » comme la Jordanie, les deux Yémen, l'Égypte, etc. La condition de ces immigrants est des plus scandaleuses. C'est une forme d'esclavage dont personne ne parle. C'est là un des malheurs parmi tant d'autres que porte le monde arabe dans son flanc. (Voir l'étude d'Allan G. Hill, « Les travailleurs étrangers dans les pays du Golfe », revue *Tiers-Monde,* « Migrations et développement », n° 69, janvier-mars 1977.)

plus lourdement sur le « fardeau de l'homme blanc », ni de provoquer à volonté et par cynisme ses sanglots, mais de refuser l'amnésie ou tout autre détournement, ce qui instaure une réalité inexacte.

Il y a longtemps que les larmes de la France se sont taries. On ne lui demande pas de pleurer, ni sur elle-même ni sur les autres, mais de rester fidèle à certains de ses principes, ceux-là mêmes au nom desquels des luttes pour l'indépendance ont été menées en des territoires dont elle voulait faire l'histoire et modeler le destin, des pays où elle allait recruter des hommes solides, rudes et analphabètes, pour faire tourner ses usines, travailler dans ses mines et ses chantiers [1].

Le dire aujourd'hui ne signifie point extirper des larmes à cet homme blanc, mais remettre les choses à leur juste place et rappeler que le petit Taoufik, né à Clichy-sous-Bois, ne parlant peut-être pas l'arabe, est un enfant de l'exil, une phrase brutalement interrompue d'une histoire à peine nommée et qu'on balbutie dans l'effroi du refus armé.

Il est ainsi des événements qu'une société (quelle qu'elle soit) ne saurait inscrire dans son quotidien, regarder dans leur brutalité et leur irrationalité sans perdre un peu de son âme... L'échelle de l'indignation et des larmes, le cours de l'émotion poignante et la succession des communiqués qui condamnent et dénoncent, sont de l'ordre de la morale. Or, ce qui arrive, ce qui se passe et se répète est au-delà de la morale.

Le racisme meurtrier, le refus passionnel de l'Autre sont autant de balafres que des mains portent sur le visage de la France. C'est une laideur qui s'installe et progresse sur le

---

1. Jean Genet me déclarait dans une interview au *Monde* : « (La communauté) n'a pas cru s'expatrier. On encourageait le départ qui apparaissait comme une promotion. Le ramassage, l'embauche se faisaient d'une façon assez pittoresque, sauf sur le lieu, qui n'était pas un foirail, tout rappelait le commerce de bétail. Le recruteur palpait les muscles, regardait les dents, les gencives, éprouvait la fermeté, la solidité des mains. Cela se passait il y a encore peu d'années... » *(le Monde,* 11 novembre 1979).

corps de ce pays, alimentée par des politiciens sans scrupules. Qu'importent le nom, la situation sociale de l'individu qui, ne supportant plus le bruit des pétards, tire dans le tas. Cet homme ne m'intéresse pas. Si on creuse un peu, on lui trouvera certainement un fond d'humanité, et on découvrira que le remords lui donne des migraines et des insomnies. On ne portera pas sur lui la haine. Ce serait trop simple, car ce n'est pas une question de bonté ou de méchanceté. Cet homme, à la limite, n'est personne en particulier. Il est aussi symbolique dans son geste que la mort qu'il administre dans un accès de fièvre, comme celui qui a tué le 20 juillet 1983, dans le centre de Grenoble, Ahmed Benkhidi, un adolescent algérien de dix-sept ans. On apprend que le meurtrier est un Portugais, père de cinq enfants. Lui aussi a « tiré » parce que le bruit l'empêchait de dormir.

La France a été alertée. Elle n'a peut-être pas entendu les messages de Vénissieux et autres ensembles.

Je ne m'attarderai pas sur une certaine presse qui milite pour la haine raciale. Toute discussion sur cette presse ne peut être que tautologique et moraliste. Les organisations antiracistes comme le MRAP (Mouvement contre le racisme et pour l'amitié entre les peuples) ne cessent d'intenter des procès à tous ceux qui tombent sous le coup de la loi du 1er juillet 1972, et qui incitent au racisme. La seule chose à dire à propos de cette catégorie de Français, c'est qu'ils sont dans une situation misérable, car ils vivent avec une infirmité : l'incapacité d'aimer les autres et même pas eux-mêmes. Ils n'aiment personne, et même s'ils donnent l'impression de haïr en priorité les Arabes, ils n'aiment pas pour autant les juifs, les Noirs, les Asiatiques, etc. Il n'y a pas de racisme sélectif. C'est un leurre. Quand on a en soi la haine du juif, par exemple, on ne peut

sous-entendre que cette haine épargne l'Arabe ou tout autre
étranger à sa patrie, sa religion ou sa couleur de peau. Seul
l'hebdomadaire *Minute* est rigoureux dans sa haine : son antisémitisme n'a d'égal que sa haine des Arabes en général, et
des Algériens en particulier. Pour certains, la guerre d'Algérie
n'est pas encore terminée. La présence sur le sol français d'un
peu moins d'un million d'immigrés algériens excite leur haine
nostalgique, et lorsqu'ils agressent un Arabe, cela s'inscrit
indirectement dans le deuil impossible et intolérable que l'histoire exige à propos de « l'Algérie française ».

II

Un racisme profond et épidermique

« Il est toujours possible d'unir les uns aux autres par les liens de l'amour une plus grande masse d'hommes à la seule condition qu'il en reste d'autres en dehors d'elle pour recevoir les coups. »

FREUD.

Chronologie sommaire des crimes et agressions racistes à l'encontre des Maghrébins entre mai 1982 et octobre 1983 [1].

- LARBI Mohamed, 19 ans, assassiné par des gendarmes de Saint-Avertin (Tours), après un vol de voiture, le 21 mai 1982.
- Un ressortissant marocain, âgé de 46 ans, est blessé par une décharge de chevrotine, tirée d'une voiture, rue Fesch à Ajaccio, le 23 mai 1982.
- ARAI Omar et FERCHICHI Messaoud, assassinés au fusil de chasse par des inconnus, qui se trouvaient à bord d'une 4L, à 10 heures du soir, le 24 mai 1982 à Ajaccio.
- BOUFFENCHOUCHE Mohamed, 53 ans, invalide du travail, assassiné le 16 juillet 1982 à Strasbourg.
- BOUTELJA Ahmed, assassiné le 28 septembre 1982 par M. Lopez à Saint-Jean-de-Bron.

1. Liste établie par le service information de Radio-Beur. Sources : *Sans frontières, Différence* (MRAP), AFP, *l'Anti-Raciste* (PAE), *le Monde, Libération, le Matin, France-Soir, le Journal du dimanche, le Parisien, la Semaine de l'immigration* (AAE), *Radio-Beur Presse,* Radio-Beur auditeurs.
Radio-Beur 98.5 Mgh ; BP 71, 93102 Montreuil.

- HACHICHI Walid, 18 ans, assassiné le 28 octobre 1982 à Lyon.

- HAOUETTE Abdel-Krim, 21 ans, assassiné le 27 octobre 1982 devant le local du journal *93* situé à Livry-Gargan.

- GHEMIAH Abdenbi, 19 ans, assassiné le 23 octobre 1982 par M. Depitout, « pavillonnaire » à Nanterre.

- ETTAHARI Mohamed, assassiné le 7 décembre 1982 par deux hommes masqués à Campo-Quercio (Corse).

- GHOURI Yazid, 23 ans, assassiné le 15 décembre 1982 par M. C. Bernard, libraire, membre de l'association « Légitime défense », à Gonesse.

- ABARRAN Mimoun, 20 ans, assassiné le 23 janvier 1983 à Ajaccio par deux hommes en moto qui l'ont atteint par 5 coups de 7.65.

- M'RAIDI Nacer, 18 ans, blessé le 4 février 1983, à Châtenay-Malabry, par le brigadier Lapeyre ; reste paralysé.

- AOUIMER Abdelkader, 18 ans, blessé à Montreuil par un policier le 12 mars 1983 ; outre Abdelkader, plusieurs jeunes Maghrébins résidant à Montreuil sont blessés par balles, tirées de fenêtres des cités HLM.

- DHAMANI Djamel, 19 ans, blessé par un inconnu le 15 avril 1983, place Victor-Bellaud à Villeurbanne.

- RABIH Kamel, 27 ans, assassiné, après avoir été lacéré à coups de couteau, au cours d'une rixe entre stagiaires à Laval en avril 1983.

- MESSOGH Moussa, 19 ans, assassiné par un vigile le 17 juin 1983, en présence de trois policiers en service à Livry-Gargan.

- MEDJARI Hadj, 20 ans, assassiné menottes aux mains, le 7 juillet 1983, par deux gendarmes à Draguignan : « tentative de fuite ».

- DJAIDJA Toumi, 20 ans, président de l'association « S.O.S. Avenir Minguettes », blessé à l'abdomen d'une balle tirée par un policier, le 17 juin 1983, à Vénissieux (Lyon).

- SAGA Ali, 24 ans, blessé par balles, place des Terraux à Lyon, le 24 juin 1983.

- MECHTA Saïd, 44 ans, assassiné le 25 juin 1983 à Rieux (Oise) par le propriétaire qui voulait l'expulser de son logement ; le défunt laissera huit orphelins.

- ABD NABI ZIOH, 15 ans, blessé à l'abdomen d'une balle tirée par M. G. Moulin, dans une cité HLM située à Argenteuil, le 27 juin 1983.

- LETTAD Kamel, 17 ans, grièvement blessé au ventre à coups de serpette par un commando de trois racistes, le 28 juin 1983 à Meudon-la-Forêt.

- OUANNÈS Taoufik, 9 ans, assassiné le 9 juillet 1983 par René Algueperse, surveillant à la RATP, dans la cité des « 4000 » à La Courneuve.

- Avant Toufik, deux jeunes Maghrébins des « 4000 » sont blessés par balles, tirées des fenêtres de la cité.

- BENALI Youcef, 19 ans, blessé le 11 juillet 1983 à Pont, ainsi qu'un autre jeune, SMAIN Slimani, 20 ans, qui faisaient partie d'un groupe de quatre Maghrébins, ont été atteints par M. Proprietti, à Pont-l'Évêque.

- LAYACHI Khadi, 24 ans, grièvement blessé par un policier hors service à Tourcoing (Nord), le 9 juillet 1983, avec son arme de fonction.

- KAMEL, 15 ans, blessé par deux balles de 9 mm tirées d'une fenêtre d'une cité HLM de Tourcoing en juillet 1983.

- OUANES Abdelkader, 17 ans, blessé à l'épaule par un inconnu, d'un coup de fusil, le 12 juillet 1983 à Saint-Dizier.

- GHEMERI Hamid, 19 ans, blessé à l'abdomen d'un coup d'épée par deux hommes à 0 heure 30, le 15 juillet 1983, dans la ville de Noisy-le-Sec.

- BENLARBI Abdelkader, 23 ans, assassiné le 15 juillet 1983 à Paris, dans le IVe arrondissement, par deux policiers, après une intervention de la police à la suite d'agression commise par Benlarbi et deux de ses camarades (selon la version de la police).

- HIKIM Saïdi, 17 ans, blessé à la tête par balle par un inconnu, le 17 juillet 1983 à Saint-Ouen.

- BENKHELLIL Ahmed, 17 ans, assassiné le 20 juillet 1983 à Grenoble, quartier des Trois-Cloîtres.

- REBAHI Mohamed, 11 ans, blessé par un coup de feu à Nancy, quartier du Haut-du-Lieure, en juillet 1983.

- BADIANE Massamba, 12 ans, blessé à la tête par une carabine à plomb, dans la cité des « 3000 » à Aulnay.

- AMOURI Abdelkrim, 29 ans, décédé à l'hôpital de Cergy-Pontoise, à la suite d'une agression par des inconnus, le 27 juillet 1983.

- Le 27 juillet, également, Arianne Goudard, « pavillonnaire », tire sur un groupe de jeunes enfants habitant la cité de transit, cité du Petit-Drancy, à Drancy.

- DJENNANE Salah, 9 ans, blessé par balles par un inconnu, cité des Francs-Moisins à Saint-Denis, le 28 juillet 1983.

- M'HAMED THAMIN, 40 ans, assassiné le 30 juillet 1983 dans des circonstances mystérieuses, quartier des Brotteaux à Lyon.

- Toujours à Saint-Denis, cité des Courtilles, le 31 juillet 1983, deux enfants sont blessés par balles. On trouve un véritable arsenal chez le « shérif de la cité » !

- ITIM Djamel, 19 ans, et KHERKOUR Djamel, 23 ans, assassinés par un « cow-boy » de banlieue du nom de Marc Dukat, surveillant bénévole (ancien vigile), à la suite d'un cambriolage, le 9 août 1983, à Montreuil. Le « surveillant » était armé d'une carabine 22 long rifle.

- GRINE Salim, 18 ans, tué à coups de fusil de chasse au cours d'une ratonnade, le 18 août 1983 à Aix-en-Provence.

- RENSABUR Mohamed, 17 ans, camarade de Salim, blessé à la jambe le même jour avec la même arme.

- SADI Zineb, 30 ans, grièvement blessée par 3 balles de 7.65 le 12 août 1983, alors qu'elle se trouvait sur une passerelle de la gare de Drancy.

- BOUNED Lhachmi, 55 ans, assassiné le 18 août 1983, à Bastia, à coups de barre de fer, par D. Bertolluci âgé de 24 ans et connu par la police pour de nombreuses agressions contre les immigrés.

- HAGOURI Driss et LAITA Mohamed ont été blessés par balles à Porto-Vecchio, le 19 août 1983 ; les tireurs courent toujours.

- GHALEM Sebaa, 70 ans, retraité, est mortellement blessé d'une balle de 22 long rifle, tirée d'un immeuble situé dans la cité « Lastargesse » à Gimont, par un enfant âgé de 12 ans ; il décédera le 20 août 1983 à l'hôpital.

- ABDELALI Mohamed, 21 ans, assassiné par un policier, le 26 août, place de la Madeleine à Paris ; « légitime défense » (version de la police).

- IBADOUAN R., 18 ans, grièvement blessé par un policier d'une balle dans le cou, après un vol de voiture, le 24 septembre 1983 à Paris ; R. IBADOUAN est dans le coma.

Par ailleurs :

- le 19 juin 1982 à Calenzana (Haute-Corse), trois attentats visent dans la nuit des logements de travailleurs maghrébins.

- du 29 juin au 17 août 1982, 17 attentats ont été commis à Bastia contre des ressortissants maghrébins. Logements, bars, une boucherie, le consulat du Maroc, Royal Air Maroc sont visés.

- le 10 décembre 1982, des sympathisants du PFN (Parti du Front national) tirent dans un bar maghrébin à Troyes ; 1 Maghrébin sera grièvement blessé.

- le 22 juin 1983 à Bourganeuf (Creuse), un commando raciste (dont un gendarme) tire des coups de feu contre les logements des travailleurs immigrés.

- le 15 août 1983, des sympathisants du PFN tirent sur un groupe de Maghrébins à Troyes ; plusieurs seront blessés.

- un jeune gitan tué, son frère blessé, par une bombe dans une cité de transit à Marseille où vivent des immigrés maghrébins.

- sans oublier le plasticage de la mosquée de Romans et les incendies des foyers SONACOTRA de Massy, Corbeil et Colombes, qui ont fait 4 morts et plusieurs blessés.

- le foyer-hôtel SONACOTRA de Marseille a été l'objet d'un attentat à l'explosif le 19 août 1983.

- attentat contre l'agence Air Algérie à Marseille (attentat revendiqué par le groupe Charles-Martel) le 9 août 1983.

- incendie criminel commis dans l'appartement du trésorier de la Confédération des Français musulmans d'Algérie et leurs amis (FMRAA), le 19 août 1983 [1].

---

1. La moyenne d'âge de ces quarante-cinq victimes est de 23 ans. Voir également la chronologie sommaire des crimes et agressions racistes entre 1970 et 1979 rapportée par Jean Benoît, en annexe dans son ouvrage *Dossier E... comme Esclaves*, éd. Alain Moreau, Paris, 1980.

L'oubli est mauvais conseiller. Quand il s'installe dans l'histoire, il la mutile et la détourne.

Les deux jours et deux nuits tragiques que connut la communauté algérienne en France, les 17 et 18 octobre 1961, non seulement sombrèrent dans l'oubli en même temps que les cadavres, mais lorsque Jean-Louis Peninou, un journaliste qui travaillait à *Libération*, voulut, vingt ans après, rouvrir le dossier et rappeler ces journées de ratonnades et de meurtres, peu de journalistes de sa génération le crurent. Il dut produire des documents et la presse de l'époque pour les convaincre. Ainsi, toute une génération, née durant ou juste avant la guerre d'Algérie, ne sait rien de ce que fut cette guerre pour les peuples algérien et français.

A l'époque, les Maghrébins étaient soumis à un couvre-feu. La fédération de France du FLN organisa, pour protester contre cette répression, une grande manifestation dans les principaux quartiers de Paris (Étoile, Opéra, quartier Latin, etc.). Le 17 octobre 1961, entre 18 et 23 heures, une trentaine de milliers d'Algériens défilèrent dans les rues. La manifestation fut interdite par le ministre de l'Intérieur, M. Roger Frey, et par le préfet de police, M. Maurice Papon. Il y eut officiellement onze mille cinq cent trente-huit arrestations, deux morts et soixante-quatre blessés parmi les Algériens, treize blessés parmi les forces de l'ordre et un mort parmi les passants.

En fait, ce bilan était mensonger. Non seulement les forces de l'ordre frappèrent durement, mais elles noyèrent plusieurs Algériens dans la Seine, choisis parmi ceux qui étaient interpellés. Le lendemain, eurent lieu d'autres manifestations. Elles furent réprimées avec la même brutalité. Deux Algériens tués à Colombes et quatre cent vingt et une personnes arrêtées[1].

Le souvenir que certains ont gardé de ces deux jours tragiques, c'est l'image, tôt le matin, de corps d'Algériens flottant sur la Seine. Ce fut là peut-être les derniers soupirs d'une barbarie ne sachant plus comment haïr l'Arabe ; elle refusait de reconnaître que le destin de la France était lié à celui de l'Algérie et de cette communauté de travailleurs expatriés.

Certains ont choisi le terrorisme et le refus de l'histoire. Vingt ans après, ils sont là, astiquant leur fusil, assis derrière leur fenêtre, tirant de temps en temps sur un enfant ou un vieillard. Ils visent la tête parce qu'elle est grise. On dit qu'ils sont nostalgiques. Ils s'accrochent obstinément à leurs souvenirs, ou à ceux de leurs parents. On transmet la haine de l'Arabe en héritage.

Ainsi, le 11 août 1983, Salim Grine, dix-huit ans, Algérien, résidant dans un ensemble HLM de la ZAC du Bouffan dans la banlieue d'Aix-en-Provence, a été abattu presque à bout portant par un « commando de représailles » après une bagarre entre jeunes Marseillais et Maghrébins. Il est mort dans les bras de sa mère, à 1 h 30 du matin. Toute la famille s'apprêtait à rentrer définitivement en Algérie. Le père avait tout préparé pour ouvrir un garage à Selim en Algérie.

---

1. Dans *le Monde* du 18-19 octobre 1981, Philippe Boucher, dans un article intitulé « Il y a vingt ans la sombre nuit du 17 octobre », écrit après avoir rappelé les faits : « Une soixantaine d'informations judiciaires ont dû être ouvertes par le parquet correspondant à autant de cadavres repêchés dans la Seine, ou découverts dans les fourrés des bois de la région parisienne. Sept juges d'instruction sont désignés. Les procédures n'aboutirent jamais, mais, sur le moment, elles eurent l'avantage, pour le gouvernement, de rendre impossible le fonctionnement de la commission d'enquête dont la constitution avait été demandée le 31 octobre par M. Gaston Defferre, alors sénateur, et à laquelle avait consenti M. Roger Frey. Aujourd'hui ministre de l'Intérieur, M. Defferre dispose des archives qui permettraient de faire toute la lumière sur ces événements. Rien n'interdit au ministre de donner satisfaction à l'ancien sénateur. Ce bilan en vaudrait bien un autre. Il ferait mieux comprendre l'opportunité d'une commémoration régulière des événements nés du conflit algérien. »

UNE LETTRE D'ALBERT JACQUARD

TOUS LES AUTRES

Chacun de nous s'est un jour aperçu qu'il « n'était pas comme les autres ». Cette singularité lui a fait peur ; il s'est efforcé de se fondre dans le troupeau, de se rapprocher de la moyenne, d'être dans la norme, d'être « normal ». Il y a pris beaucoup de peine. N'était-ce pas le ressort profond de tous les efforts qui lui ont permis de réussir à l'école, d'obtenir des diplômes, de se faire une situation ?

Vient ensuite le jour où il s'aperçoit que les autres ne sont pas comme lui, et que certains sont vraiment très différents. Ce qu'il avait considéré comme un modèle, à quoi il s'est identifié, n'est qu'un cas particulier, abstrait, qui n'est incarné par personne. Autour de la moyenne, la dispersion est considérable. Les « autres » les plus différents, étranges, a-normaux, seraient des hommes comme lui ? Il oppose à cette évidence toute l'épaisseur de refus dont il est capable. Pour les refouler plus commodément, avec une meilleure conscience, il en fait des entités, les « races », désignées de préférence par des termes aux consonances péjoratives, les bougnoules, les froggies, les youpins.

Devrait venir le jour où il comprend enfin que cette dispersion de l'humanité, en autant de types humains qu'il y a d'hommes, constitue la richesse de tous ; que les différences si incommodes soient-elles, si douloureuses à supporter parfois, sont la source même de la dynamique de notre espèce. Chaque homme est « fait de tous les hommes », et l'apport de chacun ne peut se manifester que grâce à une non-égalité.

Hélas, notre culture (et bien d'autres aussi sans doute) ne facilite guère le passage à ce troisième stade. Nous en restons au réflexe infantile de répulsion ; nous assimilons non-égalité et hiérarchie ; nous classons en admettant implicitement que les catégories ont une signification concrète. Pire encore, nous allons chercher dans la science, cette tentative de l'homme pour échapper à l'infantilisme, des justifications de ces attitudes infantiles. La lutte contre tous les racismes n'est qu'un cas particulier de la bataille toujours à recommencer, et qui constitue l'activité propre de l'homme, pour accéder à plus de lucidité.

C'est à peine un paradoxe que d'affirmer que le racisme en France est à la fois profond et épidermique. Il a des racines et une tradition dans le temps, mais pas dans les théories de la culture dominante. Autrement dit, il n'est pas sous-tendu par une vision du monde, une logique froide, comme l'« apartheid » en Afrique du Sud ou le racisme antinoir de certains États d'Amérique.

Le racisme en France est de l'ordre de convictions aveugles, de l'ordre de l'évidence, d'intuitions et de données que ni la science ni la politique ne justifient sérieusement. Il n'est pas pour autant rare et inoffensif. Il est d'autant plus dangereux qu'il relève de l'émotion brutale, de l'humeur individuelle et de la passion caractérielle. C'est un racisme réactif, obéissant à une psychologie primaire, instinctive : le raciste réagit à la simple manifestation du corps étranger, corps automatiquement suspect parce qu'il est différent. Mais derrière la réaction physique se tient tapie, dans l'inconscient du raciste, une multitude d'idées et de stéréotypes prêts à justifier le geste de rejet. En ce sens, ce n'est pas un racisme idéologique ; bien sûr, on peut citer les textes de Gobineau, de Maurras, de Drumont, de Gustave Le Bon, etc. Ce sont là des références d'intellectuels. Ce qu'on a appelé à un certain moment « la Nouvelle Droite » a essayé, vers la fin des années soixante-dix, de légitimer les inégalités de l'intelligence et du comportement pour ensuite mettre sur pied quelques théories des différences devenues inégalités. Nous sommes là sur la pente glissante de la bonne conscience qui a fait un tour dans les laboratoires de recherches sur la génétique pour déboucher sur le racisme qui manipule l'idée de différence.

Même l'antisémitisme d'un Céline, par exemple, tient plus de la misanthropie fondamentale — l'humeur massacrante de tout ce qui lui paraissait être la lourdeur et la pesanteur des êtres — que d'une idéologie structurée et froide comme le nazisme.

Joseph Rovan a raison de faire remarquer que « le racisme français est d'aspect plus " littéraire " que " scientifique ", il produit plus d'injures et d'imprécations que de théories [1] ».

C'est là, la frustration de certains intellectuels dont le racisme suppose quelques exigences pour ne pas s'exprimer dans la vulgarité et la brutalité du fait divers populaire ! Leur racisme à eux se voudrait rigoureux, ayant une base dans la rationalité occidentale. Ils laissent aux autres, à ceux qui ne savent pas se contrôler, le racisme bête et méchant ; eux se serviront de la fièvre haineuse pour justifier et confirmer leurs thèses. Ce qui est curieux, c'est que les théories sont restées des demeures vides, des espèces de carcasses où vient résonner la mort gratuite d'enfants abattus parce qu'ils jouaient, et n'offrent à ces malheureux criminels aucune justification rationnelle.

Nous avons donc affaire à un racisme sauvage qui reflète beaucoup plus une déroute personnelle, une misère de la vie et une haine de soi qu'une philosophie ou des hypothèses psychologiques qui seraient la base théorique d'un mouvement politique et idéologique.

Contrairement à l'antisémitisme, qui eut en France des théoriciens et intellectuels (Jean Giraudoux n'a-t-il pas écrit dans *Pleins Pouvoirs* en 1939 que les juifs utilisent « l'action clandestine, la concussion, la corruption " et sont " d'une constitution physique précaire et anormale » ?), le racisme anti-arabe n'a pas été systématisé en dehors de quelques articles de haine hystérique dans des journaux comme *Minute* ou *Aspects de la France*.

De toute façon, quand J. Giraudoux parle de « races primitives ou imperméables », il n'exclut pas les Arabes de « ces amalgames lamentables ».

Mais, à l'époque, le danger était personnifié d'abord par les

---

1. « Des Français contre les immigrés », *L'Histoire*, n° 57, juin 1983.

juifs, par « la race sémitique, (...) race incomplète par sa simplicité même. Elle est (...) à la famille indo-européenne ce que la grisaille est à la peinture, ce que le plain-chant est à la musique moderne » (M. Barrès, *Mes cahiers*).

Le racisme se développe, se répand et convainc quand il arrive à faire croire que toute une société est menacée. Ainsi, l'antisémitisme a eu recours à la menace économique (« La juiverie ennemie des intérêts français et les judaïsants complices des financiers cosmopolites [1] ») ; en même temps, il rappelle qu'il y a un péril, « une marée montante », faite de « parasites » et de « destructeurs » de la race.

Charles Maurras écrit : « La crise nationaliste débute souvent par une crise professionnelle. Le jeune médecin s'aperçoit que tout est pris, conquis par les étrangers. Le jeune ouvrier, le jeune employé prennent garde que l'Allemand, l'Italien, le Suisse, le Belge, le Polonais, le juif leur font la guerre économique dans les rues de Paris, ou sur les chantiers de Marseille, dans les campagnes du Nord ou dans les usines de l'Est, tantôt en travaillant à des salaires de famine inabordables pour eux, et tantôt, au contraire, en occupant les sinécures les plus grassement rétribuées. Par en haut, par en bas, le Français est bloqué. Il ne perd plus beaucoup de temps à se plaindre, car si haut que puisse monter sa réclamation, il voit qu'elle est soumise, avant d'être écoutée, à quelques délégués des quatre États confédérés — juif, protestant, maçon, métèque — avec qui s'identifie nécessairement le pouvoir réel » (*l'Action française*, 6 juillet 1912 [2]).

Le racisme anti-arabe aujourd'hui puise dans les mécanismes de l'antisémitisme avec cependant moins de théories ou de thèses pseudo-scientifiques. Il est plus grossier, plus simpliste : « Les immigrés prennent le travail des Français » ; « les immigrés parasites de nos hôpitaux », etc.

1. *Bulletin officiel de la Ligue antisémitique de France*, 1er janvier 1898.
2. *Le Nationalisme français — Anthologie 1971-1914*, par R. Girardet, Éd. du Seuil, coll. « Points », Paris, 1983.

Le racisme en France ne cesse de s'adapter. Il reste sournois à l'égard des juifs et déclaré envers les Arabes [1]. C'est pratiquement la même logique, les mêmes ressorts qui maintiennent ce racisme tous azimuts vivace.

Les seuls textes marqués par le racisme anti-arabe sont des textes coloniaux. Il y a là toute une littérature que l'assassin de Taoufik Ouannès n'a certainement jamais lue. Donc, le racisme « analphabète » s'exprime à chaud et ne cherche pas à avoir raison. Il n'y a guère qu'un individu comme Gérard de Villiers qui peut froidement parler de sa haine des Arabes, des juifs, des Noirs, etc. Il serait peut-être aujourd'hui le seul écrivain qui tente, à travers ses innombrables romans policiers S.A.S., de livrer une vision du monde consacrant dans les faits, même s'ils sont enrobés dans la fiction, l'infériorité de certaines races ; il cultive ainsi le mépris pour ceux assimilés aux chiens et à la boue.

Cette littérature a un grand succès (y compris dans les pays de ces « races inférieures ») ; elle pourrait jouer le rôle d'une idéologie du racisme planétaire. Cette conception des êtres et des choses se trouve relayée par d'autres médias dont le travail consiste avant tout à conforter le lecteur dans ses préjugés. A la limite, on ne sait pas qui obéit à qui. Ces médias à gros tirage répondent-ils à une demande ou bien la suscitent-ils ?

Lorsqu'un pédopsychiatre, M. Pierre Debray-Ritzen, écrit tranquillement, à propos du quotient intellectuel, ceci : « Pourquoi y a-t-il si peu d'enfants d'ouvriers à l'université ?

---

1. Profitant de ses derniers succès électoraux (dans le XXe arrondissement de Paris et dans la ville de Dreux), l'extrême droite crie plus fort qu'avant son antisémitisme. Au cours de « la journée de l'amitié française », organisée à la Mutualité à Paris le 16 octobre 1983, M. Arnaud de Lassus, dirigeant de l'Action familiale et scolaire a dit : « Souvenez-vous que les juifs sont aux deux pôles de la société contemporaine : fondateurs du capital financier et détracteurs les plus véhéments... » ; un autre intervenant, M. Romain Marie, dit : « Il y a une puissance qui n'admet pas l'intégration en France (...) et pour laquelle les intérêts du judaïsme sont supérieurs à ceux de la société française » (*le Monde,* 19 octobre 1983).
Le gouvernement socialiste réagit peu ou pas du tout aux manifestations des racismes anti-juif et anti-arabe. Son manque de fermeté libère les phantasmes de la vieille droite.

(...) Le caractère héréditaire des facultés intellectuelles joue son rôle. Il est naturel que, dans une classe sociale où la moyenne du quotient intellectuel se situe en dessous de cent, le nombre des enfants répondant aux exigences de l'Université soit relativement peu élevé », et que cette argumentation est reprise dans les médias, vulgarisée par des journaux à grand tirage, le racisme se trouve déculpabilisé, voire normalisé. Il est évident que le professeur parle ici de la société française [1]. Ce qui est valable comme analyse pour la classe ouvrière française l'est *a fortiori* pour les enfants d'immigrés : certaines écoles n'ont pas attendu les « lumières » de ce « savant » pour appliquer une discrimination à l'égard des enfants d'immigrés. Tout a été appliqué : le Q.I., la sélection, et l'orientation vers les collèges techniques [2]. Moins de 5 % d'enfants d'immigrés arrivent jusqu'à l'Université.

Après les attentats meurtriers de juillet 1983, voici comment M. Chirac, le maire de Paris, entend lutter contre le racisme : « Dans le domaine scolaire, le nombre d'élèves inscrits dans l'enseignement pré-élémentaire et élémentaire à Paris augmente année après année pour se situer actuellement à 30 % en moyenne, chiffre considérable qui traduit des situations plus aiguës encore dans certains arrondissements : 52 % d'étrangers dans les écoles du IIe arrondissement, 42 % dans le IIIe, 38 % dans les Ier, X[e] et XIe arrondissements [3]. »

---

1. Cf. l'ouvrage d'Albert Jacquard, *Au péril de la science* (Éd. du Seuil, Paris, 1982), où il lui est répondu.
2. « 30 % des enfants de travailleurs immigrés arrivent au terme de leur scolarité en ne sachant ni lire ni écrire. Seulement 20 % parviennent à suivre une scolarité normale. Leur très faible niveau d'instruction ne leur permet que très difficilement de s'insérer dans une activité professionnelle (...) De l'échec scolaire à l'échec social, le sort fait aux enfants d'immigrés est à mettre au débit de la politique du pays d'accueil » (Jean Benoît, *Dossier E... comme Esclaves, op. cit.*).
Quelques chiffres encore : pour l'année 1976-1977, sur 80 000 étudiants étrangers — 10 % de la population étudiante en France —, seulement 3 000 fils et filles d'immigrés ont accédé, la même année, à l'enseignement supérieur, soit à peu près 0,4 % de la population étudiante en France.
3. *Paris-Match*, 22 juillet 1983.

Il a déclaré, par ailleurs : « Le seuil de tolérance est dépassé, notamment dans certains quartiers, et cela risque de provoquer des réactions de racisme. Il faut donc adopter une politique lucide et courageuse pour tenter d'interrompre le flot de ceux qui arrivent, et dont certains éléments sont des gens de sac et de corde » (*le Monde,* 15 juillet 1983).

Que faire pour lutter contre le racisme ? La réponse est simple : contrôler plus efficacement les foyers de travailleurs étrangers qui sont, dit M. Chirac, « surpeuplés et source d'insécurité ».

Ainsi, on installe et renforce la peur dans le corps et l'esprit des braves gens. Si l'un d'eux, exaspéré par le bruit, tire sur un enfant, c'est qu'il avait peur, parce que certains étrangers sont des « gens de sac et de corde » et que, dès qu'ils sont en nombre, ils sécrètent l'insécurité et la violence.

Le drame, c'est que la situation est totalement inversée : celui qui est en droit d'avoir peur, parce qu'il se sent menacé, parce qu'il peut à tout moment devenir une cible pour un tireur que le bruit ou la chaleur de l'été énervent, celui qui est en insécurité, ce n'est pas le citoyen français, mais bien l'étranger qui a vu mourir sous ses yeux des gamins. Durant cet été 1983, a-t-on dénombré une seule riposte de la part des Maghrébins à l'égard des meurtriers dont d'autres Maghrébins furent victimes [1] ?

Il y eut tout au plus une petite manifestation non violente. Quant aux gouvernements maghrébins, leur indifférence n'eut d'égal que leurs regrets de ne pas recevoir assez de touristes français à cause des restrictions de devises. La peur se trompe de camp, ou plutôt on la voit et on la justifie là où devraient se

---

1. Lucien Bitterlin fait remarquer dans un article : « Racisme, xénophobie et été chaud » (*le Monde,* 31 août 1983) : « La leçon qu'il faudrait retenir de cet été fou, ce pourrait être celle qu'à donnée Mme Ouannès (la mère du petit Taoufik). Les Français auront beaucoup à apprendre de son comportement, et pas seulement les Français. »

lever la honte et le remords. Est-ce du cynisme ou tout simplement le discours politique de la rentabilité électorale [1] ?

M. Stanislas Mangin pose la question : « Demandons-nous, plutôt, nous tous, comment il est possible que des hommes tuent ces petits et ces très jeunes gens, enhardis l'un après l'autre par le silence qui voile leurs gestes mortels d'" exaspération " ?

» N'est-ce pas le fruit de la campagne contre l'insécurité et la violence, cette campagne sans fondement comme le démontrent les chiffres, et de la campagne pour l'autodéfense, qui créent finalement le besoin de réagir contre les fantômes, de les conjurer en prenant une victime expiatoire.

» On a donné bonne conscience à l'*inconscient de haine* qui suit la peur en chacun de nous. Mais comme on n'a pas donné le courage physique en plus, la peur et la haine se défoulent sur les inférieurs, les petits : immigrés, enfants (ça c'est nouveau)... » (*le Monde*, 3 août 1983).

En fait, cela n'est pas nouveau : des enfants se sont trouvés sur le chemin de la peur et de la haine. D'habitude, c'est le père qu'on cherche à éliminer. Si, aujourd'hui, il se trouve sur ce même chemin, il pourra difficilement éviter le tir de l'homme énervé, parce que cet homme, voici des décennies qu'il prépare son fusil, voici des années que les voisins lui apportent les balles, l'huile pour astiquer son arme, le soutien moral, l'encouragement et même un début de déculpabilisa-

---

1. Dans un article, « Le lit du racisme », paru dans *le Monde* du 10 septembre 1983, Edwy Plenel rejoint cette interrogation : « Le raisonnement est vicié dès qu'il semble faire de l'étranger le coupable, dès qu'il renvoie la responsabilité de " vrais problèmes " sociaux, économiques, culturels à leurs premiers acteurs qui en sont d'abord les victimes. Tel est le poison distillé : la mécanique irrationnelle du racisme a toujours tendu à renverser les responsabilités, à " projeter le bourreau dans la victime ", ainsi que le résume une étude récente sur le discours antisémite. C'est sur ce chemin qu'avancent les idées de M. Le Pen. Un peu comme si, bien que comparaison ne soit pas raison, l'on avait dit, en 1930, que la progression du nazisme était imputable à un " vrai problème " : les juifs. Les juifs et non la crise, le désarroi, la lâcheté. »

tion, voici des années que chaque tireur éventuel ou candidat au tir est préparé par les uns et les autres, par la presse locale ou nationale, par les discours d'hommes politiques, par un laisser-aller généralisé, tout un ensemble d'éléments, de gestes et de pensées, tout un morceau de l'histoire de France, véhiculant de manière évidente ou feutrée une quantité non négligeable de racisme anti-arabe. Ainsi, l'homme qui tire n'est pas un homme seul. Ils ne sont pas dix, ils ne sont pas cent, mais des milliers ; de braves hommes, ni trop méchants ni trop bons ; des citoyens comme il y en a partout ; un peu misérables, se méprisant eux-mêmes peut-être sans jamais se l'avouer, mais ayant en eux assez de haine pour tirer sur un enfant, assez de peur pour se croire menacés et assez de bêtise pour participer, par leur silence, au lynchage symbolique de ce gosse et reprendre le lendemain leur travail comme s'ils revenaient d'une fête un peu ratée.

L'identité pèse sur chacun et sécrète une angoisse comme un poison qui ronge le corps : les gens ont peur de ne plus ressembler à l'image qu'ils se font d'eux-mêmes, de ne plus correspondre à l'image que l'histoire et ceux qui la manipulent fabriquent pour eux. Ainsi, il y a des profils qui ne doivent en aucun cas se mélanger. On leur apprend que le profil maghrébin a des caractéristiques — des gènes ! — étranges et malsains ! Il est ainsi une réserve de haine alimentée quotidiennement par tout un environnement ; certaines braves gens attendent tout en regardant tranquillement la télévision. Ils ne sont pas méchants ; leur geste est au-delà de la méchanceté ; il vient de loin, de tellement loin qu'il serait injuste de s'acharner sur eux ! Ils sont au bout d'une longue tradition. N'ont-ils pas été excédés et scandalisés, durant l'hiver 1982, par les grèves dans l'automobile menées principalement par les immigrés à Renault-Flins et Citroën-Aulnay ? La CGT s'est trouvée elle-même dépassée, et n'a-t-on pas entendu ici ou là des commentaires lourds d'insinuations racistes ? On a cru cet hiver entendre Charles Maurras qui dénonçait, le 6 octobre 1920, « l'effroyable vermine des Juifs d'Orient (infestant) plusieurs arrondissements de Paris. Ils y apportent les poux, la peste, le typhus, en attendant la Révolution » (*l'Action française*).

Voici ce qu'affirmait, dans *le Monde* du 11 février 1983, le président du Front national, M. Jean-Marie Le Pen : « des minorités nationales étrangères armées et organisées menacent la sécurité intérieure et extérieure des Français ». Il a dénoncé aussi la forte concentration d'immigrés dans le secteur de l'automobile qui, dit-il, « comme on l'a vu dans d'autres pays, joue le rôle de casernes de la révolution ».

Ainsi, les immigrés ont peu à peu pris la place des juifs dans l'injure et le discours racistes. Soixante-trois ans séparent les deux déclarations ; le même mépris, le même racisme, avec cependant une petite différence : même un militant d'extrême droite n'ose pas reconnaître publiquement son racisme anti-immigré. Peut-être que la loi du 1er juillet 1972, qui punit les discriminations et actes racistes, votée à l'unanimité, y est pour quelque chose. Comme ce militant du Front national qui était numéro deux sur la liste des élections municipales à Dreux, M. Jean-Pierre Stirbois, dont le slogan électoral était : « Deux millions de chômeurs, deux millions d'immigrés ! La France aux Français ! » Il proposait de renvoyer les immigrés dans leur pays ; ces chômeurs, ces oisifs, ces délinquants... « ils ne sont pas les maîtres chez nous ». Raciste ? « Absolument pas ! », répond-il (*le Monde*, 11 février 1983).

L'équation chômage = immigrés n'est pas nouvelle. Déjà, en 1921, un député socialiste, Albert Hughes, demandait à la Chambre pourquoi « des mesures sérieuses n'ont pas été prises plus tôt pour empêcher le défilé interminable des travailleurs étrangers qui, la mallette sur le dos, émigrent chaque matin (...) vers nos centres industriels ou nos chantiers, pendant que nos ouvriers français sont au chômage [1] ? »

Et *l'Humanité* du 31 janvier 1921 écrivait : « Nous sommes internationalistes, mais nous ne pouvons admettre que nos camarades viennent s'employer à vil prix et nous fassent crever de faim. »

Il est un fait que les dernières grandes grèves de l'automobile de 1982 ont été menées par une nouvelle « race d'immigrés », ceux qui croient au changement et qui veulent en constituer la dynamique, qui s'expriment parce qu'ils se considèrent au pays du socialisme et parce que la génération précédente a si longtemps gardé le silence, étouffant sa colère et dans certains cas investissant tout dans la maladie du corps et de l'esprit.

Parmi ceux qui venaient me voir au centre de médecine psychosomatique [2], il y en avait qui souffraient d'une maladie indéfinissable, non localisable, et pourtant elle n'était pas imaginaire. Ils avaient mal un peu partout dans le corps et surtout dans l'âme qu'ils sentaient abandonnée : la douleur était réelle, et le fait qu'elle était nomade et insaisissable les rendait encore plus malheureux car ils voulaient être crédibles. Je ne mettais jamais en doute leur souffrance. Je la reconnaissais et je remarquais que l'expression de leur visage changeait. Une lueur traversait leur regard. Ils n'étaient plus démunis dans le silence. Ils pouvaient bouger, se déplacer et parler de leur corps malade parce qu'aucun cri n'en surgissait, aucune colère ne s'en dégageait.

Ces visages et ces corps usés, tristes, étaient en fait enterrés sous une épaisse couche de silence, c'est-à-dire de résignation. Il leur restait alors la folie, la petite folie, celle qui pose des

1. *Journal officiel*, Débats de la Chambre, 28 janvier 1921 ; cité par J. Rovan, *L'Histoire*, n° 57.
2. Voir mon ouvrage, *La plus haute des solitudes*, Éd. du Seuil, Paris, 1977.

questions sans attendre la réponse. La consultation était une sorte de vérification, une entorse au silence.

Cette génération est restée longtemps sans réagir. Analphabète et craintive, elle attendait la fin de quelque chose : un destin qui se déroule ; une époque qui s'achève. Mais bien avant le terme de cette attente, leurs enfants ont surgi et ont bouleversé le paysage de cette immigration dont les repères culturels se limitent souvent à quelques éléments de l'Islam.

Cependant, la déclaration de P. Mauroy, faite le 27 janvier 1983, à propos des conflits chez Renault et des immigrés, fut plus que maladroite : « Les travailleurs immigrés agités par des groupes religieux et politiques qui se déterminent en fonction de critères ayant peu à voir avec les réalités sociales françaises. »

Ce genre de discours rappelle étrangement celui que tiennent souvent les dirigeants de pays du Tiers-Monde qui, à chaque contestation, invoquent la main de l'étranger.

Il y a, certes, un problème avec l'émergence du religieux en milieu immigré ; cela ne saurait être la seule explication valable d'une grève. Un document, publié quelques semaines après par *le Canard enchaîné*, démontra que les services du Premier ministre avaient été abusés par des estimations et des suppositions de la DST.

En visitant de manière impromptue, le 26 juillet 1983, la cité des « 4 000 », juste après l'assassinat du jeune Taoufik, puis en se rendant, le 10 août, dans le quartier des Minguettes à Vénissieux (banlieue de Lyon), le président Mitterrand a voulu souligner l'intérêt qu'il porte à la question de la coexistence, et scruter, au-delà de l'émotion, le visage boursouflé du racisme.

L'immigration encombre souvent l'image d'une France qui s'est faite en partie avec cette force de travail tôt recherchée, vite épuisée, usée. Il a vu par lui-même et rappelé que « la France a besoin de travailleurs étrangers dans certains domaines. Ils doivent être reçus, protégés, accueillis, et leur propre sécurité doit être assurée autant que celle de tout citoyen français » (*le Monde*, 12 août 1983).

Depuis leur arrivée au pouvoir, les socialistes, dans ce domaine, ont du mal à nommer les choses, comme ils ont des difficultés à concilier l'humanisme de leurs principes et la rigueur intransigeante de lois économiques. Le discours sur l'immigration ne sait pas distinguer le racisme instinctif de quelques individus malheureux du racisme inhérent aux contraintes de l'économie moderne.

M. Mitterrand a rappelé, dans son intervention télévisée du 16 septembre 1983, comment la France est allée « chercher des immigrés en remplissant des avions et des camions » et qu'ils « doivent bénéficier de tous les droits des travailleurs français, c'est-à-dire qu'ils doivent être respectés, rémunérés, logés, ne pas être soumis à des investigations policières constantes » ; mais la manière dont il a évoqué le cas des clandestins (« je dois protéger l'emploi des Français ») — ce qui est légitime et incontestable — risque de donner libre cours aux humeurs brutales de ceux qui ont la charge de les repérer et de les expulser : des rafles ont eu lieu dans les quartiers à forte densité d'immigration. Parce que quelques-uns n'ont pas le droit d'être ici, tous les visages seront suspectés de fraude et d'irrégularité. On peut craindre que « les investigations policières » ne s'encombrent point de subtilité et de délicatesse.

La nature a créé des différences ; la société en a fait des inégalités ; quant au pouvoir de l'argent, il a instauré la hiérarchisation des êtres et sécrété le mépris. Albert Jacquard écrit : « Des mécanismes sociaux de répartition des travaux selon leur pénibilité, de création de groupes jouissant de droits limités, les immigrés, de spécialisation des divers quartiers de villes pour le logement de certaines catégories de personnes, ont créé des frontières impossibles à nier entre les groupes qui coexistent. Globalement repue, notre société est craintive ; devant chaque perturbation, elle cherche le bouc émissaire. N'étant plus soumis aux angoisses ancestrales de la faim et du froid, chacun reste inquiet, car la part de richesse qui lui est octroyée peut se réduire ; méprisé par ceux dont la part est plus grande, il compense en méprisant ceux dont la part est plus faible [1]. »

1. *Au péril de la science, op. cit.*

III

Un racisme tranquille
et populaire

Il y a quelques années, la Régie Renault, consciente de la xénophobie qui règne dans ses usines où la majorité des travailleurs sont des immigrés, décida d'organiser des stages d'information sur la culture et la civilisation des pays dont sont originaires ces travailleurs.

La Régie fit appel à moi pour animer quelques journées sur l'Islam et les différences culturelles. Les participants étaient des cadres, des agents de maîtrise, des contremaîtres, etc. Ils avaient entre 40 et 50 ans ; la plupart avaient dû faire la guerre d'Algérie. Ce point est important.

La journée se déroulait ainsi : le matin, je leur faisais un cours d'introduction très élémentaire sur l'Islam ; ils le suivaient avec intérêt. Nous déjeunions ensemble dans une atmosphère détendue et parfois sympathique. L'après-midi, je changeais de méthode : je m'engageais à poser les vrais problèmes, ceux quotidiens auxquels ils ont affaire à l'usine : le travail et la coexistence avec les Maghrébins. La règle du jeu était simple : tout dire, sans honte, sans crainte, et essayer de se parler, d'expliquer et de comprendre certaines réactions. Nous n'étions pas dans un tribunal, et je n'étais pas l'Arabe qui allait prendre systématiquement la défense des autres Arabes. (Ils ne me considéraient jamais comme un immigré, mais comme un Français assimilé, parlant et écrivant bien leur langue ; le fait d'ailleurs de collaborer au journal *le Monde* les intimidait au point de fausser leurs réactions, allant jusqu'à dire « on ne dirait pas que vous êtes arabe ! ») ; je les mettais à l'aise. Je leur demandais de s'exprimer, de dire en toute liberté ce qui les gênait chez les immigrés, ce qu'ils ne supportaient pas chez eux, ce qu'ils leur reprochaient et, éventuellement, s'ils leur trouvaient des qualités.

Avec cette méthode, j'arrivais à les décrisper et à libérer chez eux les réactions les plus instinctives et aussi les plus surprenantes.

Plus ils se libéraient, plus je me crispais ; j'arrivai malgré tout à garder mon calme jusqu'au bout.

Je vous livre telle quelle une séance que j'avais enregistrée mentalement et transcrite le soir même :

Les participants étaient tous des cadres et n'avaient, par conséquent, que peu de contacts directs avec les immigrés. Mais ils les connaissaient bien parce qu'ils avaient pour la plupart travaillé avec eux comme chef d'atelier ou contremaître ; certains étaient d'anciens O.S. (ouvriers spécialisés). Parmi les participants, il y avait un médecin et une infirmière.

Je posai la question suivante : « Nous avons évoqué tout à l'heure un malaise entre vous et les Maghrébins. Que chacun dise d'où vient ce malaise. »

On fait un tour de table ; le profil général pourrait être : 45 ans, marié, père de deux enfants, guerre d'Algérie, habitant dans un quartier populaire ou dans un pavillon, lit peu, regarde la télévision, est syndiqué mais pas forcément à gauche.

Un participant : D'abord, moi, je trouve que les Maghrébins ne sont pas tous les mêmes selon qu'on est algérien, tunisien ou marocain. Moi, je le dis tout net, je n'aime pas les Algériens. J'ai fait la guerre. Je les connais. Ici, pas de confiance. Les Tunisiens, c'est pas des hommes, je veux dire, c'est des gens qui rampent. Ils sont très obséquieux. Pas de fierté. Les Marocains, ils sont sérieux. Jamais de grève, pas de trahison. D'ailleurs, ils viennent tous du même bled. Ils travaillent. Attention, je dis pas ça parce que vous êtes marocain. Avec eux je m'entends. Mais, j'aime pas quand ils partent en vacances et m'envoient un certificat médical. Là, ils trichent.

Un autre : Moi, j'ai rien contre les Maghrébins. Mais je suis d'accord qu'ils sont différents. Le problème, c'est qu'ils sont menteurs. Pas confiance. Ils disent une chose et font une autre. Moi, j'habite tout près de la Goutte-d'Or. Ils font beaucoup de bruit. Mon gosse n'arrive pas à dormir. Ça, c'est énervant. Quand ils sont entre eux, ils se défoulent. Car, quand ils sont en face de nous, ils sont calmes, ils disent rien, pas confiance.

Les inviter chez moi ? Non, cher monsieur, chacun sa place. On est trop différent. Moi, ce que je demande, c'est quand un travail doit être fait, il doit être terminé à l'heure. En général, ils sont sérieux, sauf quand ils se portent malades.

Le médecin : Moi, je suis en colère ! Ils me font perdre un temps fou. Ils consultent pour rien et ne savent même pas ce qu'ils ont. Pour eux, c'est toujours grave, et ils confondent tout, le ventre et l'estomac, la rate et le foie... Ils font semblant. Ce n'est pas sérieux. Ils veulent profiter au maximum des possibilités françaises, être soignés gratuitement même s'ils ne sont pas malades... C'est ça leur tempérament ; des profiteurs, des tire-au-flanc...

L'infirmière : C'est vrai ce que dit le docteur. Ils passent d'abord par moi et, chaque fois, ça fait des histoires. En plus, ils ne sont pas très propres. Moi, j'ai du mal à travailler avec eux. Je ne comprends pas toutes leurs traditions, toutes leurs histoires. En plus, on ne sait jamais ce qu'ils pensent. Ils sont sournois et fraudeurs. Y en a qui sont bien : les vieux. Les jeunes sont arrogants. Je m'en méfie. Je le dis franchement : je préfère les Asiatiques. Ils sont droits. Pas d'histoires. Etc.

J'écoutais ces insanités en essayant de garder mon sang-froid. Aucun ne reconnaissait que c'était cela le racisme. Ils étaient même offusqués quand j'évoquais la question. Ils mettaient tout sur l'incompatibilité des cultures. J'étais bien sûr découragé et j'essayais malgré tout de leur répondre calmement. Là, ils se fâchaient parce qu'ils refusaient avec véhémence de parler de racisme. Le contremaître, qui disait des Tunisiens « ils ne sont pas des hommes, mais des reptiles », se mettait en colère lorsque je lui faisais remarquer que c'était cela le racisme, mépriser l'Autre au point de lui refuser la qualité d'homme.

La Régie Renault faisait preuve de courage et de réalisme. Certains cadres se sentaient humiliés de devoir suivre un stage de sensibilisation à la culture de leurs ouvriers. Ils venaient quand même, et ne se privaient pas de faire quelques commentaires désagréables.

Il était important d'aller jusqu'au bout des mécanismes de ce « racisme tranquille », celui des idées reçues, acquises de manière presque naturelle et qui agissait avec certitude et même innocence. Aller jusqu'au bout consistait pour moi à arriver à une prise de conscience, à faire douter des personnes qui ne devaient probablement pas se poser le problème.

C'était dans l'ordre des choses. Après avoir provoqué des réactions vives, j'essayais de susciter une réflexion, les faire dépasser l'humeur instinctive pour changer un regard. C'était difficile. C'était désespérant. Le soir, je passais en revue la journée. J'étais pris de colère et de découragement. J'ai réalisé, avec cette expérience, combien le racisme peut parfois constituer une deuxième nature, une façon de penser et de voir le monde, et combien d'obstacles et de résistances tout travail de démantèlement doit vaincre.

Deux journalistes de talent, Philippe Alexandre et Roger Priouret, viennent à leur façon de verser un peu d'eau dans le moulin de ceux dont le métier est d'accabler les immigrés de beaucoup de maux. Dans un livre, *Marianne et le pot au lait* [1], ils écrivent : « Essayons pourtant de braver les soupçons absurdes : cette chute de la qualité de certains produits pose le terrible problème des immigrés. Ce n'est pas un hasard si, dans les secteurs où le travail à la chaîne emploie beaucoup d'ouvriers étrangers, en premier lieu l'automobile mais aussi l'électroménager, on constate une baisse de qualité et de réputation qui se traduit par une diminution des ventes. Les travailleurs immigrés ne portent pas toute la responsabilité de cette chute. Certes, ils n'ont pas de patriotisme d'entreprise — et qui oserait le leur reprocher ? Ils ne sont pas motivés par le goût de l'ouvrage méticuleux. »

1. Grasset, Paris, 1983, p. 99.

LETTRE A UNE MÈRE HUMILIÉE [1]

Ainsi la honte a franchi votre porte et l'opprobre a été jeté sur vos enfants. Vous n'avez plus de visage, plus de visage à montrer ni à vous-même ni aux voisins. Vous avez pleuré : l'injure a soudainement défiguré votre destin et vous ne savez où aller avec les larmes du silence. Le sort en a décidé ainsi : à la violence de l'exil, à la séparation d'avec la terre et la langue, au racisme ambiant, vint s'ajouter ce à quoi vous vous attendiez le moins, une gifle. Une gifle qui vous a mise nue devant toute la France.

Recluse dans votre foyer, vous n'aviez point l'opportunité de suivre les subtilités politiciennes d'un parti politique qui prétend défendre les peuples du tiers-monde. A présent, vous le savez ; le parti communiste français vient de vous livrer vous et vos enfants à la vindicte, à la haine aveugle. La rumeur est têtue. Qui peut la faire taire ? Il vous a condamnée en vous couvrant d'injures et en portant atteinte publiquement à votre dignité de femme, de mère et d'immigrée. Tout cela sous couvert de moralité.

Voilà qu'un autre coup de bulldozer vient de vous infliger des blessures profondes. Si vous étiez algérienne, j'aurais dit que la guerre d'Algérie n'est pas vraiment finie. Après tout, dans leur calcul froid et cynique certains communistes voudraient rallier à eux une certaine France, celle, par exemple, de la « légitime défense ». Le racisme de ce parti n'est pas dans les mots, il est dans les actes. Un racisme, certes, inavouable, mais en qui se reconnaissent certaines catégories d'électeurs.

Mais la France, n'en déplaise aux chauvins et racistes, reste une terre d'asile (un peu moins qu'avant), mais les voix qui se sont élevées pour s'indigner et se solidariser avec vous, madame, prouvent qu'il est encore des raisons d'espérer en attendant de rentrer au pays.

1. *Le Monde*, 15-16 février 1981.

J'ai souvent entendu dire qu'en France le racisme est populaire, qu'il s'exprime et agit plus facilement dans la classe ouvrière. L'« âme cachée » du pays se découvrirait ainsi dans son ambiguïté et ses contradictions là où on l'attendait le moins. Il y aurait plutôt une lutte sournoise entre les travailleurs français et les immigrés ; une espèce de conflit non déclaré et qui devient ouvert en temps de crise. (Voir l'affaire des licenciements à l'usine Talbot en décembre 1983.)

Dans les années soixante-dix, travailleurs français et immigrés défilaient dans les rues avec le slogan : « Même patron, même combat ». Aujourd'hui, avec l'aggravation du chômage, on pourrait dire : « Même patron, combat différent ». En effet, depuis les grèves dans l'automobile où les immigrés, maghrébins, notamment, se sont révélés les éléments les plus dynamiques du changement, on constate qu'une faille assez grande sépare les deux mondes.

Les immigrés ont changé ; ils sont plus jeunes, souvent alphabétisés et politisés. La génération du silence et de la colère refoulée est en train d'être remplacée par une génération décidée à ne pas se laisser faire. Face à la classe ouvrière française, structurée et syndiquée, on trouve un prolétariat dont les intérêts et les aspirations ne coïncident pas forcément avec ceux de cette classe. Les immigrés seraient en quelque sorte le Tiers-Monde intérieur de la classe ouvrière française.

On dit aujourd'hui, de la base aux plus hautes instances du pays : « La France et les Français d'abord ! » C'est légitime ; comment cependant ne pas constater et entériner plus qu'une divergence d'intérêts, une opposition entre Français et immigrés ?

Le racisme naît d'une cohabitation non voulue : on travaille dans les mêmes lieux, on habite les mêmes ensembles parce qu'il est difficile de faire autrement. La classe bourgeoise peut en effet se payer « le luxe » de ne jamais rencontrer un immigré. Son racisme est l'expression d'une classe sociale ; il englobe tous les travailleurs. Ce n'est pas le cas de la classe ouvrière qui est en contact quotidien et inévitable avec la masse des immigrés. Sans partager leur destin, sans vivre dans les mêmes conditions matérielles et psychologiques que ces hommes et femmes expatriés, elle a tendance à réagir brutalement, c'est-à-dire de manière instinctive : l'immigré est l'étranger qui la menace dans sa sécurité. Les syndicats et partis politiques tiennent compte de cet état d'esprit et ne veulent pas réellement le changer. Le parti communiste français est peut-être l'organe politique qui « couvre » le plus cet état de fait. Il n'est pas question pour lui d'aller contre une façon de penser et d'agir d'une grande partie de la classe ouvrière. Il reconnaîtra le racisme du patronat, jamais celui de la classe ouvrière.

Nous sommes loin du principe d' « une seule classe ouvrière en France » défendu au congrès de Tours en 1920 par le parti communiste.

Le maire communiste de Vitry-sur-Seine, M. Paul Mercieca, prit la tête d'une manifestation, le 24 décembre 1980, contre le transfert, dans un foyer de travailleurs, de trois cents Maliens, logés jusque-là à Saint-Maur-des-Fossés ; manifestation brutale et spectaculaire au cours de laquelle un bulldozer marcha sur le foyer.

Malgré l'indignation générale des milieux immigrés, le parti de la classe ouvrière ne s'en tint pas là. Au mois de février 1981, le maire d'une autre municipalité communiste (Montigny-lès-Cormeilles), M. Robert Hue, accusa une famille d'immigrés marocains de « trafic de drogue ». Il organisa le 7 février, devant l'immeuble où habite cette famille, une manifestation. Des appels à la délation furent lancés.

On ne comprit pas tout de suite les raisons de tels agissements, d'autant plus que le parti communiste français ne fait rien par hasard. A mon sens, cette vague xénophobe n'était ni une bavure de quelques militants excités ni une erreur d'aiguillage.

Les réactions dans les milieux politiques furent violentes, pas tant par amour et solidarité désintéressée pour les immigrés que par anticommunisme traditionnel. En effet, le parti communiste français cherchait par là à poser le problème de la cohabitation entre Français et immigrés tout en confortant l'électorat populaire dans ses sentiments xénophobes.

L'hebdomadaire de l'immigration *Sans frontières*, du 3 janvier 1981, écrivait : « Le PCF à l'image de la France profonde se révèle pour ce qu'il est : un parti bien français, un parti chauvin et xénophobe. L'affaire de Vitry est un révélateur, un miroir de la France à l'aube des années de crise. C'est la défaite d'un certain espoir que nous avons cru pouvoir partager avec des couches de ce peuple. C'est l'ère du désarroi qui commence. Le nôtre est celui des rescapés de la lutte antiraciste. »

La question est brutale ; elle est plus que gênante ; et pourtant elle est réelle, inévitable : pourquoi le racisme est au fond populaire ? et surtout pourquoi les grands partis de ce pays ne luttent pas sérieusement contre ce fléau ?

Dans *l'Humanité* du 29 décembre 1980, François Hilsum écrit à propos de ce qu'il appelle « l'affaire Saint-Maur » (on a voulu transférer les trois cents travailleurs maliens de Saint-Maur à Vitry-sur-Seine) : « S'il est une vérité inscrite dans l'histoire, c'est bien celle-ci : le parti communiste est le seul parti de ce pays à avoir été aux côtés des peuples opprimés. » Certes, c'est là une vérité. Je ne rappellerai ici ni les petits calculs ni les retards mis par ce parti pour exprimer son soutien à la lutte de certains peuples. Or, avec ces deux affaires, ce parti a trahi cette vérité : les immigrés ne constituent-ils pas à leur manière, du moins symboliquement, un peuple opprimé ?

Il invoque le seuil de tolérance qui, s'il est dépassé, provoquera du racisme, ce que *l'Humanité* appelle « le risque de heurts avec la population française ». C'est commode ! On admet ainsi, tout en l'excusant, le racisme latent, qui se déclencherait dès que le seuil n'est plus respecté (comme si en dessous de ce seuil tout était parfait entre Français et immigrés !).

Lutter contre le racisme, c'est courir le risque de déplaire à son électorat, c'est dénoncer les attitudes et réactions quasi naturelles de sa propre société. C'est un travail qui n'est pas forcément populaire et dont la rentabilité n'est pas immédiate.

L'insécurité économique favorise et exacerbe les sentiments xénophobes. Le rôle d'un grand parti ouvrier serait d'empêcher que la méfiance et la peur ne viennent creuser davantage le fossé entre Français et immigrés. Il y a là un glissement vers le racisme, un détournement vers la haine qu'une mobilisation de grande envergure, comme le PC en a le secret, devrait arrêter. Il est possible de lutter contre le chômage tout en menant une campagne contre le racisme et les manipulations politiques que certains n'hésitent pas à entreprendre publiquement. Parce que le chômage frappe aussi les immigrés ; leur insécurité est plus grave, car au bout d'un temps ils devront rentrer chez eux, sans travail, sans économies, avec en plus la culpabilité de l'échec. Parce que, aussi, il a été prouvé maintes fois que les emplois libérés par les étrangers ne sont pas tous repris par les Français.

Le sociologue Edgar Morin a signalé combien il était malhonnête de faire des immigrés, en ces temps de crise, les boucs émissaires : « Déjà, le mal-être de l'insécurité économique et le malaise de l'insécurité physique ont trouvé leur bouc émissaire unique : les immigrés. Ici encore, il faut noter un phénomène provisoirement réconfortant. Au moins jusqu'à l'élection-test de Dreux, la haine et la fureur racistes sont demeurées confinées dans le domaine des opinions et comportements privés. Elles ne réussissaient pas à s'exprimer sur le plan politique, où l'idéologie humaniste héritée de la Révolution française, puis des principes socialistes, refoule, justement dans le secteur privé, l'attitude raciste. En 1981, le parti communiste lui-même n'avait pu bénéficier du racisme ambiant d'une partie de son électorat populaire et ses provocations contre les foyers nord-africains n'avaient nullement été payantes. Toutefois, l'élection de Dreux nous indique que le racisme affectif populaire peut opérer sa jonction avec le racisme idéologico-politique de l'extrême droite. Celle-ci est encore incapable de proposer un mythe du salut, mais elle est fort capable de cultiver le mythe du bouc émissaire » (*le Monde*, 11 octobre 1983).

Ce qu'Edgar Morin appelle « le racisme affectif populaire » a été depuis longtemps cultivé dans les mentalités par la façon même d'enseigner l'histoire récente de la France : on a omis de décoloniser l'imaginaire d'une grande partie des Français. Comment annuler cette image : ceux qu'on dominait hier encore dans les colonies sont aujourd'hui dans les usines et chantiers. Les mêmes réflexes, les mêmes comportements de mépris et d'ignorance ont été hérités de génération en génération. Paradoxe : le Maghrébin resté au pays continue d'entretenir à des degrés divers avec la France et les Français un rapport affectif où l'estime est mêlée à une certaine irritation, mais jamais à de la rancœur. L'Algérien a un rapport plus fort et plus complexe avec l'ex-colonisateur que le Tunisien et le Marocain. Reste cependant que la déception est générale ; il n'y a pas le même sens ni la même qualité de l'hospitalité — dans le sens très large — de part et d'autre de la Méditerranée. L'Algérien notamment a toutes les raisons historiques de ne pas aimer la France et les Français. Les blessures sont encore vives ; et pourtant la mémoire arabe, celle du peuple en tout cas, ne les expose point. A la suite des meurtres de Maghrébins en France, il n'y a au Maghreb ni vengeance ni esprit de revanche. Tous les éléments pour alimenter un racisme antifrançais sont réunis. Et, pourtant, personne ne s'aventure à les exploiter. C'est une question de civilisation.

IV

De l'indignation sélective

« Les Arabes, c'est comme le racisme, ça devrait pas
exister... »

Anonyme.

Il est des crimes qui soulèvent une indignation immédiate et violente. Il en est d'autres qui laissent indifférents ; au plus, ils ont droit à un traitement mou et expéditif. Souvent, on feint de s'indigner par calcul politique, rappelant au camp adverse les cadavres sur lesquels il ferme les yeux.

On peut dresser en France une échelle de l'indignation, une espèce de topographie des émotions modelées par l'air du temps — la mode —, par la stratégie politique nationale et internationale. On assiste, par exemple, à une vigilance accrue à l'égard de la Pologne, de la résistance afghane et du Proche-Orient. Les déceptions et désillusions historiques à propos du socialisme et du Tiers-Monde ont contribué largement à forger cette vision sélective et à légitimer certains excès d'indignation ici et des silences ailleurs.

La dernière grande mobilisation des Français se fit autour de la guerre d'Algérie. Des certitudes étaient ébranlées. Il y eut, en Mai 68, les grandes manifestations pour le Viet Nam, pour Angela Davis, contre les lois et circulaires restrictives que les différents ministres de l'Intérieur imposèrent aux travailleurs immigrés... puis le silence, l'indifférence, l'absence de réaction. Une vague de désillusions politiques emporta dans un même mouvement dogmes et utopies. Il se produisit, comme l'écrit J.-C. Guillebaud, « un événement bizarre : la rupture de connivences fraternelles entre l'intelligentsia occidentale " productrice " d'idéologie et celle du Tiers-Monde, animatrice des révolutions. (...) Les temps changent ! En même temps que nos illusions révolutionnaires tombaient dans la trappe des prisons politiques, un grand ressort se brisait : celui qui, nous arrachant à nous-mêmes, nous portait vers le Tiers-Monde. J'ai l'impression confuse qu'on a jeté le bébé avec l'eau du bain. Sortant tout mouillé de cette immersion-là, nous avons l'âme grelottante [1] ».

Aujourd'hui, le divorce est consommé, avoué et largement justifié. Seul l'infatigable René Dumont continue de sillonner les terres fêlées de ce Tiers-Monde et rapporte dans des livres terribles des images et des paroles d'un immense paysage humain défiguré par la misère et apprivoisé par la mort.

Si la principale victime de ce désenchantement est le Tiers-Monde lointain, il en est une autre par extension, amalgame ou analogie : les différentes communautés immigrées issues de ces territoires où les dictatures se suivent et se ressemblent dans la même brutalité, les mêmes injustices.

Je comprends les motivations qui poussent une grande partie de la gauche et des médias français à soutenir le peuple polonais. Qu'importent les raisons inavouées ou déclarées. Je constate qu'il est plus facile de mobiliser la France de 1984 pour la Pologne que pour la Palestine ou les travailleurs immigrés arabes.

Il faut dire qu'au moment de l'invasion du Liban par l'armée israélienne, et surtout après le massacre de Sabra et Chatila, la presse française en général a exprimé sa désapprobation, et dans certains cas son indignation. Je pense notamment aux éditoriaux de Serge July et de Sélim Nessib dans *Libération*, aux reportages de Marc Kravetz dans *le Matin*, à certains

---

1. *Les Années orphelines 1968-1978*, Éd. du Seuil, Paris, 1978.

articles d'analyse dans *le Monde* et aussi aux images terribles transmises par les différentes chaînes de télévision. Le mythe d'Israël toujours victime et menacé n'était plus soutenable. Une offensive des milieux favorables aux thèses sionistes ne tarda pas à culpabiliser et intimider cette presse. Une polémique se déclencha à propos du langage utilisé. Certains mots devaient rester le monopole de la mémoire meurtrie du peuple juif. Et ainsi, les morts arabes pesaient moins lourd que d'autres sur la conscience de l'homme occidental.

Un jeune Algérien, né en France, élève de terminale dans un lycée de la Seine-Saint-Denis, m'a dit, lors d'un débat sur le racisme, comment il ressentait cette inégalité en tant qu'arabe : « Nos problèmes n'intéressent pas toujours les Français. Après l'attentat antisémite de la rue Copernic, nous avons tous réfléchi avec le professeur à ce problème. Quand il y a eu le massacre de Sabra et Chatila, on nous a dit que c'était de la politique et on nous a empêchés d'en débattre » (*le Monde*, 13 juillet 1983).

Il est un fait que le racisme antimaghrébin s'alimente aussi des conflits extérieurs : ainsi, la nationalisation du pétrole et du gaz algériens fut suivie en France d'une vague d'incidents racistes ; les différentes guerres israélo-arabes sont l'occasion pour certains de susciter et aviver la méfiance et l'hostilité entre les communautés juive et arabe en France.

Il n'est pas inutile de rappeler qu'à l'époque de la chasse aux juifs en France et dans les colonies, époque marquée par la rafle du Vel d'Hiv qui a pu avoir lieu parce que non seulement le gouvernement collaborait avec les nazis mais parce qu'une partie du peuple français se débarrassait des juifs en les dénonçant, le sultan du Maroc, feu Mohamed V, avait refusé de faire porter aux juifs marocains l'étoile jaune et prévenu l'émissaire de Pétain qu'il ne tolérerait pas qu'on touchât à un seul juif de son pays, les considérant comme des citoyens à part entière, ayant un statut juridique d'égalité avec les

Marocains musulmans, avec les mêmes droits et les mêmes obligations [1].

L'été et l'automne 1973 furent particulièrement meurtriers pour les Maghrébins des Bouches-du-Rhône. Le 25 août, M. Émile Guerlache est tué à son travail par un déséquilibré algérien, M. Salah Bougrine. Exploité de manière scandaleuse par la presse, ce drame fut suivi d'une trentaine d'actes de vengeance, une revanche qui aura coûté la vie à quinze travailleurs immigrés maghrébins dans Marseille et les environs.

Réagissant contre cette escalade de haine, le gouvernement algérien décida, le 20 septembre, de suspendre l'émigration de ses ressortissants vers la France. Riposte politique d'État à État. Les Algériens ne se sentaient pas pour autant en sécurité. La même presse qui incita à la vengeance mena une campagne quasi quotidienne contre la présence des immigrés en France et omit souvent de rendre compte des ratonnades et autres règlements de compte qu'elle avait encouragés.

L'année 1973 aura été l'année du nombre record d'attentats et de crimes racistes : le bilan s'élève à cinquante-deux Algériens tués et de nombreux blessés, sans compter les nombreuses agressions orchestrées par une campagne de haine et de peur dans les médias, utilisant aussi bien l'assassinat de M. Guerlache que la guerre israélo-arabe d'octobre et la crise pétrolière [2].

1. Cf. Haïm Zafrani, *Mille Ans de vie juive au Maroc*, Maisonneuve et Larose, Paris, 1983, p. 293.
2. Voir l'ouvrage collectif *les Dossiers noirs du racisme dans le Midi de la France* (Éd. du Seuil, coll. « Combats », Paris, 1976). Les auteurs rapportent, à propos de l'assassinat à Marseille de M. Guerlache, les propos que le rédacteur en chef du *Méridional*, M. Gabriel Domenech, écrivit : « (...) le racisme est arabe ; il n'y a finalement de racisme européen que parce que l'on tolère, depuis longtemps, les abus du monde arabe... Pour de bonnes raisons pétrolières. (...) Nous en avons assez ! Assez des voleurs algériens, assez des casseurs algériens, assez des fanfarons algériens, assez des trublions algériens, assez des syphilitiques algériens, assez des violeurs algériens, assez des proxénètes algériens, assez des fous algériens, assez des tueurs algériens. »

On découvrira plus tard que le ministère de l'Intérieur participait à cette vague de répression en enfermant en toute illégalité des hommes et des femmes arabes dans une « prison clandestine de la police française » située sur le môle d'Arenc à Marseille. Là, des immigrés arrêtés au hasard des rafles étaient livrés à l'arbitraire d'une police haineuse. Cela m'a rappelé le climat de terreur et d'injustice dont nous avons l'habitude dans les pays du Tiers-Monde où la police agit en toute impunité hors la loi, au mépris du droit du citoyen. Il arrive ainsi qu'une certaine France viole les Droits de l'homme et s'aligne sur la politique répressive des pays où la personne humaine n'a pas beaucoup de valeur.

Le scandale de la prison d'Arenc fut révélé et dénoncé par des militants et autres démocrates. C'est cela aussi la France.

Le 3 juillet 1974, le gouvernement français prit la décision de « mettre temporairement fin aux introductions de main-d'œuvre ». Le Conseil des ministres du 9 octobre 1974 l'entérina.

Après un autre été meurtrier, celui de 1983, où les carabines 22 long rifle se sont distinguées par leur efficacité dans le « tir au hasard » mais qui ne rate pas un enfant maghrébin, le ministère de la Défense a publié un décret, en date du 19 août 1983, pour une nouvelle réglementation de la vente et la détention des armes à feu (*Journal officiel*, 21 août 1983).

Riposte d'ordre technique ! les armes de la haine n'ont hélas besoin d'aucune réglementation. Elles passent outre la loi et le droit. Les mentalités ne changent pas à coup de décret. Ce sont des demeures anciennes où viennent se forger et se loger les préjugés, les habitudes et les certitudes. Il faudra beaucoup de temps, de patience et de travail pour les nettoyer, pour les débarrasser de toutes ces couches d'ignorance et de misère.

Les Arabes sont ainsi désignés pour recevoir dans la colère les bris d'une glace brisée, parce que l'ouvrier français, ancien pied-noir ou simple chômeur, exprime dans des gestes misérables sa médiocrité d'âme, son malheur d'être, c'est dire toute la mesquinerie dont il est prisonnier. Pour le sortir de cette étroitesse, il faudrait lui dire la vérité et non le conforter dans la facilité du rejet de l'étranger, lui rappeler que l'immigré est rarement venu de lui-même et que, s'il est là, c'est parce que l'économie du pays en a éprouvé un certain moment le besoin.

J'entends parfois des gens dire qu'ils sont pro-arabes. Je n'aime ni cette expression ni cette attitude. Qu'est-ce que cela veut dire ? Est-ce à dire qu'ils aiment les Arabes, comme si les Arabes étaient une totalité compacte, entièrement bonne et innocente, qu'ils sont prêts à les défendre n'importe où, n'importe quand et pour n'importe quel motif ? Quand on est pro celui-ci ou pro celui-là, c'est qu'on est inconditionnel[1]. J'avoue que je me méfie des inconditionnels, surtout quand il s'agit d'un peuple en bloc. N'est-ce pas là la logique de l'attitude raciste, dans le sens inverse ? Le racisme consiste à rejeter d'emblée sans nuance, sans analyse, sans justification, une race, c'est-à-dire un ensemble. Accepter cette même totalité sans en douter, en la mythifiant, en l'idéalisant, est aussi condamnable. Pour ce qui est par exemple des travailleurs arabes immigrés, je ne crois pas qu'ils demandent à être aimés de manière aveugle et inconditionnelle. Parce qu'ils sont souvent la cible de l'hostilité et la victime d'un racisme militant, ils réclament avant tout le droit de vivre et de travailler en paix, c'est-à-dire dans la sécurité et le respect de leur dignité. L'hospitalité qu'ils attendent de ce pays n'est pas un excès d'amour, mais juste quelques égards qui leur assurent

---

1. J'ai remarqué que certains sont pro-arabes par opposition aux juifs. Ils peuvent être au fond des antisémites refoulés ou déguisés. Il en est de même pour des inconditionnels d'Israël : les antisémites n'aiment en fait ni les juifs ni les Arabes ; une perversion consiste à défendre l'État d'Israël qui les a « débarrassés » des juifs !

protection et qui les reconnaissent dans leur statut de travailleurs qui participent à la prospérité (la crise est relativement récente) de cette société.

V

Une image misérabiliste

« On a (...) aggravé le malheur, et même on l'a créé pour des centaines de milliers de pauvres familles confiantes dans une France qui leur devait beaucoup. On a fait douter de la France des jeunes nations pour qui nos institutions, nos mœurs sont la seule référence quand elles regardent vers le Nord, vers l'Occident. »
Stanislas Mangin, « Études et rapports de la Commission du Bilan », *Documentation française*, tome V.

L'arrivée des socialistes au pouvoir a été accueillie par les communautés immigrées comme une sorte de libération. Un travailleur maghrébin m'a même dit : « Le 10 mai pour moi, c'est comme le jour de l'indépendance ! » L'espoir était possible : fini l'arbitraire des expulsions, fini les circulaires restrictives, fini le laxisme de la justice et la désinformation !...

On s'est vite rendu compte qu'on pouvait changer une loi, abolir un décret, annuler une circulaire par simple décision politique ; on ne pouvait changer, par simple volonté, les mentalités.

En accédant au pouvoir, les socialistes ont effectivement mis fin à certains décrets et lois particulièrement xénophobes que le régime précédent avait promulgués. Le ministre de l'Intérieur agit dans ce domaine dès l'été 1981. Il rencontra une opposition aussi bien dans les rangs de l'ancien pouvoir, ce qui est normal, que dans les milieux de la police qui manifestèrent quelques résistances et mauvaise volonté. Parmi les premières décisions prises, il y eut l'arrêt des expulsions, la régularisation des « sans-papiers », l'abrogation du décret-loi de 1939 restreignant le droit d'association et la modification de la loi du 1er juillet 1901 relative au contrat d'associations dirigées en fait et en droit par des étrangers. Le nouveau texte prévoit une totale liberté aux étrangers pour se constituer en associations et exister légalement en les soumettant aux mêmes règles juridiques que les associations françaises.

Bien entendu, elles ne devraient pas « porter atteinte à la situation diplomatique de la France ». Entendez par là qu'elles ne devraient pas devenir des prête-noms à des éléments qui voudraient faire un travail politique visant un pays étranger.

Le secrétaire d'État chargé des immigrés a défendu au Parlement le droit des étrangers à se regrouper. Pour les émigrés, « l'association est un moyen de rompre leur isolement (associations sportives, culturelles, de parents d'élèves, de locataires, etc.), de garder leur identité culturelle et d'avoir par là un moyen d'action sociale ».

Dans un rapport élaboré par l'Unesco, M. Éric-Jean Thomas note que « le modèle français est caractérisé par un invraisemblable foisonnement de textes législatifs et réglementaires qui, loin de donner aux immigrés les mêmes droits que les Français, les enferme dans une réglementation très contraignante et investit l'administration de pouvoirs exorbitants [1] ».

Non seulement la France n'a pas permis le développement d'institutions permettant aux immigrés de participer à la vie politique du pays dont ils contribuent à construire l'économie, mais même le parti socialiste, qui était favorable au vote des émigrés à certaines élections, a reculé dans ce domaine depuis qu'il est arrivé au pouvoir. Quant au parti communiste, il n'a jamais souhaité que les émigrés votent.

L'information n'a pas suivi. Les médias sont parfois capables de susciter un changement qualitatif dans le regard qu'on pose sur un conflit ou un problème. Encore faut-il qu'ils en sentent la nécessité. En temps de crise, on ne cherche pas à déranger mais à rassurer. L'image de l'immigration est sombre

---

1. Cité par Jean Benoît dans le Monde dimanche, 7 février 1982.

et trop négative. Elle est triste. Elle aurait grand besoin d'être replacée dans sa réalité, en dehors des préjugés et des arrière-pensées. Or, cette réalité est rarement présentée sans misérabilisme, cette grisaille qui sous-tend le malheur, la crise et l'insécurité.

Le journal d'Antenne 2 midi, du 22 septembre 1981, fut un événement que toute la presse ou presque du lendemain commenta. Après cet écart dans la forme et le fond de l'information en France, il y eut quelques émissions, sur l'immigration et le racisme, pavées de bonnes intentions et bien médiocres.

Dans un rapport sur l'information et l'expression culturelle des communautés immigrées en France, Françoise Gaspard, député socialiste de l'Eure-et-Loir, constate : « Les médias audio-visuels n'accordent que peu de place et dans des espaces souvent spécifiques à l'actualité ou aux cultures des pays d'origine. Cela ne favorise ni une expression valorisante des communautés immigrées ni une compréhension pourtant nécessaire et enrichissante entre communautés française et étrangères [1]. »

Ainsi, l'émission du dimanche matin sur FR 3 « Mosaïque », de par son projet, son mode de fonctionnement, sa tranche horaire et aussi son contenu, ne peut faire évoluer la mentalité d'une majorité de Français. Est-ce son but ? Ce n'est pas certain, puisqu'elle s'adresse en priorité aux différentes communautés immigrées.

Financée par le FAS (Fonds d'action sociale), c'est-à-dire par une partie de l'argent des immigrés (que je sache, « Les amis des bêtes » n'est pas financée par la SPA !), « Mosaïque » se situe d'emblée du côté des institutions. Les immigrés payent

---

1. Les émissions nationales en direction des travailleurs immigrés sur Radio-France sont importantes. Diffusées dans leurs langues, elles sont la voix du pays, le lien avec la culture laissée dans le village. Ces émissions sont très écoutées. Elles méritent d'être développées.

ainsi une double redevance télévision et n'ont droit qu'à une émission souvent folklorique (surtout ne pas déplaire aux uns et aux autres !). Son rôle semble s'attacher au divertissement. Pas de regard critique ; le racisme n'est ni dénoncé ni combattu ; on évite de dire les vérités amères sur la politique de l'émigration des pays d'origine. C'est propre, calme et optimiste. L'émission souffre de la pauvreté des moyens, et son statut est assez mal défini au sein de la station qui lui loue l'antenne. Plate et frileuse, image contrastée de la violence environnante, elle diffuse souvent des programmes déjà faits par les pays d'émigration. A cet égard, elle joue le rôle de relais de l'information insipide — propagande — de ces États.

« Mosaïque » divertit (elle permet incontestablement à un nombre important d'artistes du Tiers-Monde de se produire) et donne aussi des informations pratiques souvent utiles. Cependant, le style et le langage utilisés ne correspondent pas à ceux des communautés auxquelles elle s'adresse ; en grande partie analphabètes, elles supportent mal qu'on continue à les ignorer et à parler à leur place [1]. On a la nette impression que cette émission reproduit le système de la complaisance et du vide tels qu'ils sont institués dans les pays d'origine, maghrébins notamment.

Quant à la télévision française en général, son approche du problème manque souvent de sérénité et d'équilibre [2]. Sans peut-être le vouloir, elle renforce l'image assez répandue de l'immigration sécrétant, à cause du désarroi et du désordre de

---

1. Il y aurait plus d'un million d'analphabètes parmi les immigrés, dont 500 000 analphabètes complets (ministère du Travail, 1976). Un rapport d'une commission de l'Unesco, daté de 1977, avance la fourchette de 1 000 000 à 1 500 000. En janvier 1979, la Commission Blaché annonce 800 000 analphabètes complets.
2. FR 3 a présenté le 13 septembre 1983, malheureusement à une heure tardive (22 h 35), une bonne enquête sur les mécanismes complexes du racisme dans la ville de Dreux. Une analyse minutieuse et sobre. (« Les immigrés sont-ils toxiques ? », enquête d'Émilie Raffoul, série de Philippe Alfonsi et Patrick Pesnot.)

sa vie, l'insécurité et la violence. Les différences culturelles sont rarement montrées objectivement ; souvent la manière de les présenter et de les illustrer les disqualifie et les dévalorise.

A force de filmer les immigrés à l'occasion de drames, on va finir par croire qu'ils sont télégéniques dans le malheur. Ainsi, un reportage sur le mariage forcé des jeunes filles maghrébines dans la région d'Avignon [1] donnait de la famille une image où le fanatisme et l'obscurantisme religieux sont la dominante dans les rapports parents-enfants. Sans nier que le problème existe, ce n'est pas en si peu de temps — une dizaine de minutes — et quelques interviews rapides, que ce drame, ravivé par l'exil, pouvait être traité de manière à informer le grand public sans réveiller en lui un sentiment de rejet : la différence est accusée de manière négative (« ils sont sadiques avec leurs filles ; on n'a rien à faire avec ces gens-là... », pourrait conclure le téléspectateur qui est conforté dans ses préjugés).

Ce genre d'émission, qui vise le spectaculaire, est au fond accusateur. Sous prétexte de défendre les victimes d'un ordre social et familial, il désigne au refus toute une communauté.

C'est comme si on présentait dans une télévision maghrébine un reportage sur quatre ou cinq assassins d'immigrés arabes donnant ainsi de la France l'image culpabilisante d'un repaire de tueurs racistes.

Démarche peut-être inconsciente. Elle est en tout cas révélatrice d'un manque de vigilance de la part de ceux qui font l'information.

Un autre reportage, montré à plusieurs reprises au cours du journal d'Antenne 2, illustrait le problème du refoulement des candidats clandestins à l'immigration : la caméra suit une patrouille de police dans ses recherches ; les policiers réveil-

---

1. « Dimanche magazine », Antenne 2, juin 1983.

lent au petit matin des Maghrébins pour vérifier leur identité. Dans le groupe, un Algérien n'est pas en règle. On l'emmène dans le fourgon. Il pleure, et on l'accompagne jusqu'à l'embarquement dans l'avion en partance pour l'Algérie. L'homme était manifestement humilié.

Sans défendre son cas — son expulsion n'était même pas discutée, sa parole à peine entendue —, la télévision voulait sans doute montrer, pendant le journal de 20 heures, que la police faisait son travail de « nettoyage ». Émission qui rassure les bons citoyens et qui prévient les immigrés en fraude sur ce qui les attend. Manifestement, la télévision était du côté de la police. La caméra était placée derrière l'épaule des policiers. Elle aurait pu se mettre de l'autre côté, et nous faire voir ce qu'est d'être réveillé au petit matin pour subir un refoulement sans discussion.

Deux émissions et un téléfilm, diffusés en 1983 sur TF 1, ont traité le problème du racisme et de l'immigration.

Michel Honorin et Tony Comiti réalisèrent deux enquêtes sur la France et l'Afrique : présentée le 27 avril 1983 dans le cadre des « Mercredis de l'information », *l'Afrique blanche* dénonçait le comportement néo-colonial des Européens dans les anciennes colonies africaines. La deuxième enquête, *la France noire* (22 juin 1983), montrait les conditions de vie (logement, travail, solitude) des immigrés noirs en France.

Dans les deux cas, la déception l'emportait sur l'adhésion tant les clichés et les poncifs encombraient les images.

Parfois, la fiction est plus forte que le documentaire. Encore faut-il avoir, en plus d'un cœur généreux, du talent et de l'exigence. Le misérabilisme est une forme d'humiliation. La comédie musicale de Michèle O'Glor et Raoul Sangla, *Il pleut, il pleut rosière* (juin 1983), est d'une misère consternante : Djémila aime Claude, un Antillais ; ce qui déplaît à Houari, son frère, qui aime Josée dont le père est raciste. Richard, journaliste, intervient dans ce mélo pour inciter Djémila à se

présenter à l'élection de la rosière, etc. Une rosière arabe !...
Ah ! les bons sentiments ! Que de médiocrité engendrent-
ils !

Je sais que l'information peut contribuer beaucoup à la lutte
contre le racisme. Pour cela, il faut une grande mobilisation
planifiée à long terme ; se débarrasser de certains stéréotypes
de langage et de pensée ; habituer le téléspectateur français à
voir l'immigration dans son image positive ; ne plus se donner
bonne conscience en faisant de temps en temps une émission
sur le sujet et qui se termine dans la confusion (genre
« Dossiers de l'écran ») ou dans la laideur (genre *Il pleut, il
pleut rosière*).

VI

Les anciens et les nouveaux

Deux générations, une même hostilité.

Le racisme antimaghrébin ne s'encombre pas de nuances. Il ne fait pas de différence entre Algériens, Marocains, Tunisiens, Arabes et Berbères, jeunes ou vieux. A la limite, c'est ce qui provoque à l'intérieur de ces communautés une solidarité sentimentale comme à l'époque du colonialisme où les trois peuples du Maghreb étaient unis.

Si les problèmes sont pratiquement les mêmes pour l'ancienne génération, celle dont l'image et le destin restent liés à la guerre d'Algérie, ils se posent différemment et exigent des solutions nouvelles pour la génération qu'on appelle à tort deuxième et qui est plutôt « la génération spontanée de la rupture ».

Le racisme dirigé contre les anciens s'essouffle dans son argumentation répétitive et obsessionnelle. Il est souvent justifié par les stéréotypes classiques qui ont trait à l'apparence, au physique. C'est le même procédé que l'antisémitisme : défauts du corps, attitude sournoise, perturbation de l'ordre culturel et religieux, etc.

Cette population joue malgré elle la fonction miroir à l'égard de la société française. Elle lui renvoie l'image froissée de l'intolérance et du malaise sur fond de conflits et de chocs des cultures. Du fait de cette fonction, rarement reconnue, la parole de l'immigré n'est pas entendue. Ce n'est pas souvent qu'on l'invite à s'exprimer. De toute façon, la majorité des Français ne manifeste pas un empressement à écouter ce que l'immigré peut lui dire. Ceux qui prétendent l'entendre la brouillent et s'en emparent pour la fondre dans leur propre discours.

Les auteurs de *Situations migratoires* [1] le font bien remarquer : « Ce qu'on croit entendre des immigrés lorsqu'on essaie de les écouter, ce n'est pas leur propre parole, mais seulement le bruit de l'impact de cette parole sur nos institutions et rien d'autre. En d'autres termes, on a vu comment, par exemple, à l'usine, l'appareil syndical tente de canaliser les expressions des immigrés pour les faire entrer dans un ordre théorique, constitutif, qui est celui de la lutte des classes, sur lequel il repose. Parole de porte-parole, parole sauvage ou parole du dominé que l'on entend, mais c'est une parole, un embrouillamini, un syncrétisme, une ré-interprétation. »

A la limite, rien n'est vraiment formulé. Parfois, on apprend qu'un voisin, ne supportant pas les odeurs de cuisine ou la musique lors d'une fête familiale, prend son fusil et tire sur des Arabes. Il s'exprime. Il signifie quelque chose de flou et de précis en même temps : cette communauté d'étrangers le dérange par sa façon de vivre — rien de très précis —, alors il décide, froidement ou bien sous le coup de la colère ou de la démence, de l'éliminer physiquement ou symboliquement.

L'exaspération est à son comble. Lorsque le même geste se reproduit pour les mêmes raisons dans d'autres lieux du pays, ce n'est plus une affaire d'individu à individu — ce n'est plus un fait divers isolé et exceptionnel —, mais c'est une affaire qui concerne l'ensemble d'une société.

1. Tawfik Allal, J.-P Bufferd, M. Marié et Tomaso Regazzola, Éd. Galilée, Paris, 1977.

Les sociologues ont trouvé une explication bien commode et qui a été adoptée par tout le monde, y compris les partis de gauche comme le PS ou le PCF. Il s'agit du fameux *seuil de tolérance* : à partir d'un certain pourcentage (10 à 11 %) d'étrangers dans un espace habité, les risques de non-tolérance de l'Autre sont réels et peuvent aboutir à des drames. Ainsi, pour éviter des réactions de violence raciste, il faut bien doser l'espace. Là s'insinue une perversité inattendue : il y aurait des étrangers moins étrangers que d'autres. Ainsi, les immigrés appartenant à la sphère de la civilisation judéo-chrétienne comme les Portugais, les Espagnols ou les Italiens, seraient aujourd'hui mieux tolérés que ceux qui viennent d'une culture trop différente, comme la culture musulmane (Arabes et Turcs). Peut-être que les immigrés européens s'adaptent mieux que les autres. Ils se sentent aussi mieux acceptés.

L'hostilité de l'environnement français ne les touche pas directement. Ils ne font pas miroir, à cause d'une certaine proximité, c'est-à-dire une ressemblance qui n'inquiète pas outre mesure. Or, la question du miroir intervient ou s'impose quand la différence est trop grande.

Plus la distance entre les deux cultures est grande, plus l'autre devient l'écran de l'angoisse et du refus. Le Français lit en quelque sorte son image et son destin sur le visage de la grande différence. Le seuil de tolérance n'est au fond qu'une formule dont on se sert avec bonne conscience pour justifier, avec l'alibi scientifique, l'impossible coexistence des cultures et des hommes.

Il en est de même pour ce « gadget » creux et dangereux qu'est « le droit à la différence ». Cette expression a été tellement galvaudée et surtout récupérée par l'opportunisme de la publicité qu'il va falloir l'abandonner, la laisser aux politiciens à court d'imagination et aux marchands de briquets.

Je suis de l'avis de Martine Charlot, responsable au Centre national de documentation pédagogique — migrants, qui s'élève contre cette apologie suspecte de la différence. Elle écrit : « Le droit à la différence est une concession faite par la majorité à certaines minorités, par les dominants aux dominés, à condition que les rapports hiérarchiques soient sauvegardés. Le droit à la différence n'aboutit jamais à l'égalité. Les questions les plus importantes à poser à son sujet sont : ce droit est-il réellement revendiqué, et par qui ? Qui lui donne un contenu [1] ? »

Qu'on le veuille ou non, la différence est ce qui définit l'identité. Mais « poussée à l'extrême — comme le fait remarquer le sociologue marocain Adil Jazouli —, la différence dans une société c'est la mort de la communication, le ghetto, c'est Brixton à Londres, Harlem à New York : chacun chez soi [2] ».

La différence s'impose d'elle-même ; on ne peut la nier. En revanche, l'égalité des droits juridiques, sociaux, politiques exige qu'on lutte pour l'obtenir.

Le danger du *seuil de tolérance* n'est pas dans sa formulation. Il réside plutôt dans le fait qu'il permet la manipulation des mentalités. On se sent autorisé à rejeter l'étranger au nom de la science. Le *seuil de tolérance* sera ainsi invoqué comme justification.

Seuil et tolérance évoquent ainsi l'image d'une porte qui se ferme automatiquement, laissant derrière elle des familles avec bagages et enfants.

Je suis persuadé, quant à moi, que cette notion est la formule polie que certains sociologues ont inventée pour maintenir intact l'ordre social dominant. Elle a eu pour effet, en tout cas, de favoriser le regroupement des immigrés en cités

---

1. *Les Jeunes Algériens en France*, ouvrage collectif, Éd. CIEM, Paris, 1981.
2. *La Nouvelle Génération de l'immigration maghrébine, essai d'analyse sociologique*, Éd. CIEM, Paris, 1982.

de transit, dans des hôtels-dortoirs, dans des quartiers insalubles. Ces hommes s'entassent dans l'extrême limite du supportable. Survivre entre ces murs de désolation, dans un espace qui respire le malheur, renforce chez l'expatrié le sentiment de solitude et d'abandon, ce qui exaspère le mal de vivre et n'encourage pas la communication avec les Français.

Ces espèces d'hôtels sombres, surpeuplés, où on économise aussi bien l'électricité que l'air, existent encore. Ce sont des lieux pathogènes où les célibataires accumulent rêves et illusions, pauvreté et désarroi. Les habitations en ruine sont à la porte d'Aix à Marseille, dans des ruelles de la Goutte-d'Or à Paris ; un peu partout dans les banlieues des villes. Ces hôtels menacent de s'écrouler ; ils tomberont un jour non seulement sous le poids du temps et des surcharges, mais aussi sous le poids de tant de misère et de désolation. Les occupants continuent de croire que leur séjour en pays d'immigration est passager ; ils pensent être là pour quelque temps, afin de ramasser un peu d'argent et revenir au pays. Hélas, nombreux sont ceux qui vivent ce provisoire depuis des décennies. Ils ont leur part de responsabilité dans ce mode de vie. Victimes de leurs propres illusions, ils se privent à longueur de vie, espérant prendre un jour leur revanche sur la pauvreté qu'ils ont fuie. Ils se contentent de peu, réagissent rarement et se laissent exploiter par les « marchands de sommeil », généralement des compatriotes, indicateurs de police et collaborateurs des services politiques des consulats.

Presque trente ans après l'indépendance, le Maghreb continue d'entretenir avec la France des rapports marqués par l'inégalité de l'échange. Cela ne viendrait à l'esprit de personne de comparer le statut des immigrés maghrébins — travailleurs manuels — avec celui, privilégié, réservé aux coopérants et autres assistants techniques. Ils ne sont pas soumis à l'implacable *seuil de tolérance*. Ils travaillent sous contrat pour une période déterminée. Généralement, ils choisissent de vivre entre eux dans un confort que leurs collègues maghrébins ne peuvent s'offrir. Leur pays les respecte et les défend au besoin. Souffrent-ils d'un racisme antifrançais ? Sont-ils menacés dans leur vie par des groupes armés ? Font-ils l'objet d'une campagne xénophobe dans la presse ? Bien entendu, quels que soient les problèmes liés à l'adaptation et au dépaysement qu'ils peuvent rencontrer, ils jouissent d'un statut que le travailleur immigré ne peut que leur envier.

Le paysage humain a changé. Lentement, il s'est enrichi ; diversifié, compliqué. Il a pris des couleurs ; il est traversé par des corps jeunes, actifs, dynamiques, même s'ils sont souvent désespérés. De nouveaux visages sont venus composer et compléter ce paysage. Cette nouvelle génération voudrait se distinguer de la précédente qui lui paraît soumise, résignée, renonçant souvent à se battre ou du moins à se révolter. Une minorité seulement des travailleurs maghrébins sont syndiqués (10 %). Une catégorie semble vivre bien ; ni résignée ni soumise, elle est même acceptée ; les Français la trouvent sympathique : il s'agit des épiciers. Discrets, efficaces, bons commerçants, ils rendent service parce qu'ils restent ouverts tard. Ils ont l'air d'avoir réussi dans leur exil. Certains, enrichis, sont rentrés au pays et ont ouvert des supermarchés. Ces émigrés heureux sont à part. Ils ne sont pas nombreux et ne semblent pas prendre le travail des Français.

Rien à voir avec ceux débarqués vers 1914. Durant la Première Guerre mondiale, la mobilisation générale a eu comme effet de priver la France d'une partie de sa main-d'œuvre. La France s'est trouvée en panne industrielle ; même les travailleurs venus d'autres pays européens (les Italiens, les Belges, les Polonais) ont dû quitter la France pour rejoindre l'armée de leur pays. Le ministre de l'Armement se mit à recruter de la main-d'œuvre là où elle était disponible. Cela fut insuffisant. Il réussit à engager quelque 150 000 hommes en Grèce, en Espagne, au Portugal et en Italie. Reste, bien sûr, le réservoir des colonies : 132 000 Maghrébins vinrent faire tourner les machines des usines françaises. A ceux-là s'ajoutent les 175 000 soldats algériens, marocains, tunisiens, envoyés en première ligne défendre la France !

Les premiers travailleurs algériens à émigrer furent des Kabyles recrutés à la hâte par des industriels français à la fin du XIXᵉ siècle. La guerre va instituer dans toute l'Europe le système du recours à la main-d'œuvre arabe, soumise, dominée politiquement et maintenue dans une misère particulière. Ainsi le *lobby* colonial au Maghreb, s'il était partisan d'envoyer des Arabes sur le front pendant la guerre, protestait contre le recrutement de travailleurs de peur de voir ces derniers s'enrichir en Europe et revenir au pays en position de force. Tout sera fait pour empêcher que l'émigration ne devienne une source d'enrichissement et aussi de libération. Bien au contraire, l'émigration a été pensée et instituée comme corollaire de la colonisation. Ainsi, la domination coloniale se poursuivait « à domicile ». Les Arabes devaient subir cette exploitation sur leur terre et ailleurs. Un décret du 2 avril 1917 créa en France la carte de séjour pour les étrangers de plus de quinze ans.

L'Europe pouvait disposer en toute impunité de cette main-d'œuvre qui ne savait plus quand elle était réquisitionnée pour mourir sur le front, ou pour descendre dans les mines, ou pour briser une grève de travailleurs européens. Ainsi, en août 1913, des mineurs belges se révoltèrent contre l'embauche au rabais d'ouvriers amenés d'Algérie.

Non qualifiés, non préparés, ils étaient utilisés à toutes les tâches, particulièrement les plus pénibles.

Après la Première Guerre mondiale, l'Europe manque d'hommes (3 millions de travailleurs manquant). Les Arabes

Une voix au grain écorché. Grave et basse. Elle est brune comme le visage de l'automne. Elle tremble et hésite entre un cri facile et un râle enveloppé de nostalgie. Nostalgie de quoi ? De rien justement. Elle tire lentement sur des mots qui ne sont pas poétiques mais simplement quotidiens. Elle aurait pu ne rien dire, se détacher des syllabes et se maintenir comme l'agonie d'un espoir. Son épaisseur râcle la cage thoracique, traverse le corps et vient nommer en nous une ultime détresse.

Cette voix chante et bute contre l'émotion qu'elle réussit à donner chez tous ceux qu'elle rencontre. C'est la voix d'un jeune Algérien. Il s'appelle Karim Kacel et chante sa banlieue. Il l'exhorte à « donner de l'espace » à un gamin de dix-sept ans, « un enfant qui rêve et qui a le droit d'exister ». Il lui dit « empêche-nous de vieillir », de mourir un peu.

Chaque fois que j'écoute Karim Kacel, je ne peux m'empêcher de voir surgir l'image d'une foule d'adolescents anonymes marchant en courant un peu, comme s'ils étaient poursuivis par une énorme muraille. Ils sont livrés à l'angoisse et à la peur. Ils regardent devant eux et ne rencontrent qu'une épaisse couche de poussière grise. Alors, certains sortent de la foule, chantent, jouent et content le pays inconnu. Enfants de toutes les banlieues, ils s'inventent une identité nouvelle, tout à fait originale, ne devant rien aux parents, ne sacrifiant rien à la société française. Leur désarroi est apaisé, du moins momentanément. Un langage

survivants retournent chez eux. Mais la reprise économique impose de nouveaux recrutements. Rien qu'en France, le nombre des travailleurs étrangers passe de 1 417 000 en 1919 à 3 millions en 1930. On fit donc revenir les Nord-Africains qui rejoindront les Italiens, les Portugais et les Espagnols.

Le même scénario se reproduira avec la Seconde Guerre mondiale. La France aura une politique spécifique à l'égard des Algériens. Considérant que l'Algérie et la France sont un seul et même pays, Paris accorde aux Algériens, juste après la guerre, la liberté de circuler entre les deux pays. Il y aura alors une accélération de l'émigration algérienne en France, mais pas en Europe. Ce sera le tour des Marocains d'aller travailler neuf, des paroles crues, un regard traqué. Là est peut-être un tournant décisif : acculés à l'oubli, recevant des coups, ils font l'apprentissage d'une vie sans tendresse, évitant — mais ne réussissant pas toujours — de sombrer dans ce que les sociologues appellent des « conduites de crise » (prostitution, drogue, délinquance).

Ils essaient de donner de la couleur au corps de l'exil et en expulsent la douleur. Ils ne manquent ni d'imagination ni d'audace : ils ont entamé, le 15 octobre 1983, une marche de mille kilomètres pour l'égalité. Partis de La Cayaolle à Marseille, ils ont traversé la France avec les amis de toujours : Christian, Françoise, Jean-Pierre, Patrick, Michel, René, etc. Ce dernier est le doyen de la marche ; il a été prisonnier de guerre en Allemagne. René a écrit un article dans *la Croix* : « Si les syndicats, les partis, les associations, les Églises, ne sont pas capables de se mobiliser contre le racisme en ce moment, je ne vois pas à quoi ils servent. »

« *La France de demain est en train de passer* », tel est le slogan de cette action. C'est ainsi qu'ils fabriquent, de manière artisanale, leur culture : un petit territoire fait de musique et de rêve où ils espèrent déposer leurs racines. Ni enfermement dans le folklore d'une culture que les parents n'ont ni su ni pu préserver, ni abandon de leur être dans le tapage de la culture occidentale qui les ignore.

en Belgique, en Allemagne et aux Pays-Bas. Mais à cause des rapports particuliers entre la France et l'Algérie, l'émigration la plus importante sera celle des Algériens après celle des Portugais.

Avec le début de la guerre de libération en Algérie, cette population, jusqu'à présent docile, dominée, exploitée depuis un demi-siècle, va se politiser. La guerre d'Algérie aura aussi lieu en France. En 1957, la communauté algérienne émigrée suivra les mots d'ordre de grève (huit jours de grève) lancés par le FLN et, en 1961, elle participera en masse aux manifestations des 17 et 18 octobre.

Houria.

Houria avait trois mois quand elle est arrivée avec ses parents à Lyon en 1954. Ils s'étaient expatriés en tant que sinistrés après le tremblement de terre d'El Asnam (Orléansville). Ils étaient déjà trois frères et sœur. Depuis cette date, six autres enfants sont nés, tous en France. Ils sont algériens. Le père y tient beaucoup. Pas question de transiger là-dessus. Un jour, l'un des garçons refusa d'aller faire son service militaire en Algérie. Le père, ancien militant FLN, lui a dit : « Pas de harki à la maison ! » Le garçon a dû quitter le toit familial.

Houria parle vite. Elle a beaucoup de choses en réserve, à dire, à raconter. Elle a aujourd'hui vingt-cinq ans et travaille comme aide-comptable à Paris. Elle vit toute seule dans un petit studio qu'elle loue 800 F. Comme cinq de ses autres frères et sœurs, elle n'est jamais allée en Algérie. Elle a de l'humour, beaucoup de lucidité. Quand elle parle, de la colère passe dans sa voix. Elle allume une cigarette, regarde au loin, puis dit : « Pas envie ! Non, vraiment pas envie d'aller en Algérie. C'est le dernier pays où j'irai. Pourquoi ? Rien ne m'attire là-bas. A la limite, ça me fait presque peur. Peur de tout. Peur des gens qui développent un racisme anti-immigré. Je vivrais constamment sur mes gardes. Ici, en dehors du métro où il y a les flics, je ne vis pas sur mes gardes. Ici, je sais comment vivre, ce que j'ai à faire. Je sais que s'il m'arrive quelque chose, il y aura des gens qui bougeront pour moi. Ici, une femme est encore une femme. Là-bas, c'est autre chose. »

Ni française ni algérienne. Elle cherche une terre où planter ses racines. C'est à quatorze ans, durant Mai 68, qu'elle a pris conscience de ce qu'est le déracinement : « En 68, je voulais aller manifester avec les copines. Mon père m'a dit : " Mais tu te crois chez toi ici ? En quoi ça peut te concerner ce qui se passe en ce moment ? " Il m'a donné une claque. Je m'en souviens très bien. Il était outré. Je me suis vite rendue à l'évidence : non, je n'étais pas française. Je ne me sens pas plus algérienne. Quand je suis avec des Français, je sens qu'il n'y a pas grand-chose qui nous rapproche. Peut-être la façon de vivre. Je traîne toujours avec les Arabes, pas avec les Français. »

Houria parle mal l'arabe. Elle a un accent. Elle s'exprime en français avec ses camarades arabes. « Mon père a cru bien faire. Mais il s'est foutu dedans ! Il a voulu nous donner une éducation et surtout nous assurer l'école. A présent, il sait qu'il s'est trompé : aucun de ses enfants ne veut aller en Algérie. C'est de sa faute si on ne parle pas bien arabe. A la maison, on parlait moitié arabe, moitié français. Ma mère ? Elle n'a rien à dire dans l'histoire. Elle suit le mouvement. Je crois qu'elle pense qu'il vaut mieux se faire français. Ce sont des choses qui ne se disent pas à la maison. Elle s'est rendu compte que, même pour elle, l'Algérie, cela pose un problème. Après les vacances, elle est contente de retourner en France. C'est vrai ! Quelle vie y a-t-il en Algérie pour une femme arabe qui a vécu vingt-cinq ans en France ? Difficile de refaire sa vie ailleurs. Il faut comprendre, mes parents sont partis avec une idée de l'Algérie — c'était la guerre, il y avait une solidarité et un destin communs. Aujourd'hui, les choses ont changé. Une même communauté, mais divisée en deux ; chacun a évolué à sa façon, pas dans le même sens. »

Sa carte de séjour expire bientôt. Pour elle, pas l'ombre d'un doute. Sa carte sera renouvelée. C'est logique. Elle est sûre de ses droits. Sa vie, elle l'a faite ici. Ses souvenirs sont de cette terre. Tristes ou beaux, elle n'en a pas d'autres : « Ma carte de séjour se termine en janvier. Je suis en sursis ! Elle sera renouvelée. Je suis sûre de moi. Elle sera renouvelée. De toutes façons, je suis en règle. »

Houria aime un Marocain. Une mesure d'expulsion vient de lui être signifiée : dans son dossier, on a trouvé une petite affaire, vieille de trois ans. Elle est décidée à se battre pour empêcher l'expulsion de l'homme qu'elle aime. « Ensemble, nous ne pouvons aller ni en Algérie ni au Maroc, à cause du Sahara. Je ne me sens pas concernée par ce conflit. Je n'en ai rien à foutre. Je me sens beaucoup plus concernée par le problème palestinien. S'ils l'expulsent... » *Elle s'arrête un moment, allume une cigarette et fixe le sol. Son visage est crispé par la peur et l'angoisse. Elle change de sujet :* « Je voulais aller à la manif des femmes. Je n'ai pas pu. Mais, au fait, ce sont des mecs qui vont voter cette loi au Parlement ! Quelle ironie ! »

Les silences de Houria ont quelque chose de grave et d'émouvant. Ils sont faits de retenue, de pudeur et d'un peu d'espoir. « Mon avenir ? Je n'en sais rien. Je ne vois pas clair. Si, je vois une maison avec ses portes, ses fenêtres, son mobilier, mais je ne vois pas dans quel pays. Chaque fois que je cherche le pays, je perds tout. Je pense au Canada, à l'Australie... Non, autant être apatride. Ça existe, les apatrides ? Dis-moi, où vont les gens comme ça, les apatrides ? Il me faudra un pays, un pays où on ne me demande pas notre pédigree, un pays où on ne me demande pas d'où je viens et pourquoi j'ai la peau basanée, un pays où on ne me demande pas si de là où je viens il y a des écoles et des voitures... »

Elle répète, comme pour se convaincre : « Non, je ne me ferai pas française, non... » *Puis, tout d'un coup, sûre d'elle, elle ajoute :* « Je vais te dire pourquoi : parce que nous sommes les juifs de l'immigration ; j'ai peur, oui, j'ai peur qu'un jour ou l'autre, les Français nous fassent ce qu'ils ont fait aux juifs pendant la dernière guerre, oui, j'ai peur... Nous sommes des milliers et des milliers qui n'avions pas été prévus par les calculs de l'immigration. Moi, avec mon histoire, je ne suis qu'une goutte dans la mer... »

La génération de la rupture.

Les générations des tranchées et des mines ont dû s'éteindre. Celle qui a surgi ces dernières années a ceci de particulier : elle n'a pas fait le voyage. Génération involontaire, elle est destinée à encaisser les blessures. Ces jeunes, dont on estime le nombre à 400 000, ne sont pas immigrés dans cette société ; ils le sont dans la vie. Renvoyés à la périphérie, partout en exil, nomades de leur propre être, ils tournent en rond et parfois s'engouffrent dans un tunnel, un labyrinthe d'où ils sortent en piteux état.

Nés en France, ils ont grandi comme ces herbes sauvages qu'on ne voit pas jusqu'au jour où elles envahissent le jardin et où on se met à les arracher. Ces jeunes vivent avec l'idée d'être un jour ou l'autre fauchés parce qu'ils n'étaient pas prévus ni attendus ; ils débarquent aujourd'hui avec leurs vingt ans dont personne ne veut. Eux aussi, comme Paul Nizan, ils ne laisseraient personne dire que c'est le plus bel âge de la vie. Ils sont là sans l'avoir voulu, sans avoir rien décidé et doivent s'adapter au paysage où les parents sont usés par le travail et l'exil, comme ils doivent arracher les jours à un avenir non dessiné et qu'ils sont obligés d'inventer à défaut de le vivre.

Génération à l'avenir confisqué ou plus précisément omis, laissé de côté par les uns, préfabriqué par les autres, inimaginé par tous, elle pose aujourd'hui aussi bien à la France qu'au pays des parents un problème quasi insoluble. On dirait qu'ils ont débarqué dans la vie à l'insu de tout le monde ; et puis ils ont grandi sans qu'on les ait vus grandir. Ils ont eu vingt ans presque à contrecœur. Déjà, à dix-huit ans, il leur faut choisir pour quel pays se battre un jour. Ils se sentent cependant comme ces enfants faits dans la peur ou le péché et qu'on a

CRAQUER OU MARCHER

J'ai rejoint les marcheurs à Sélestat. Ils étaient en train de dîner dans un presbytère protestant. Ils venaient de Colmar. L'atmosphère était tendue. Fatigue physique et nerveuse. J'étais mal à l'aise ; de quoi avais-je l'air ? Un intellectuel qui vient voir, c'est toujours gênant. Ainsi, il y a ceux qui marchent et ceux qui regardent. Je n'étais pas très fier de moi. Soudain, un adolescent me dit avec l'accent du Midi : « C'est toi l'écrivain ? T'es venu voir les Rats [1] ? » Que répondre dans ce cas ? Rien. Christian Delorme me dit qu'ils sont tendus. Un Marocain de Lyon me rappelle la mort de Habib Grimzi et me dit : « Reviens demain ; Strasbourg sera une belle étape. »

Le lendemain, le moral était meilleur. Une équipe d'Antenne 2 les filmait. Entre Sélestat et Strasbourg, Farouk et Patrick chantaient : « Ce n'est pas à nous de nous intégrer/ c'est à vous de nous accepter/ dix nous ont insultés/ cent nous ont acclamés/ égalité, liberté. »

En marchant, Farid me dit : « Fallait-il craquer ou marcher ? J'ai marché ! »

Toumi est président de « S.O.S. Avenir-Minguettes ». Il ne dit rien ou, quand il parle, on l'entend à peine. C'est lui qui eut l'idée de traverser la France à pied. Le 20 juin 1983, un policier lui tira une balle à bout portant dans le ventre. Il s'était interposé entre un chien et un Maghrébin de seize ans.

Malika, vingt et un ans, a eu du mal à convaincre ses parents ; elle a fini par rejoindre les marcheurs permanents à Vienne. Elle me dit : « Depuis, je ne suis plus seule, je ne suis plus timide. » Entreprendre cette traversée du pays (1 200 km à pied et 1 000 en train ou en car) est une façon de démasquer le visage hideux du racisme meurtrier. Ils passent dans des rues étroites ou les grands

oubliés ou qu'on a décidé de ne pas déclarer à l'état civil pour ne pas avoir à les reconnaître un jour et être responsables de leurs faits et gestes.

Adil Jazouli, qui a étudié cette génération, constate : « Les enfants sont allés à l'école française, ils ont grandi dans les quartiers populaires français, leurs copains sont français et, brusquement, les parents s'aperçoivent qu'entre eux et leur boulevards en cortège silencieux, sans violence, la colère retenue, le regard chargé de souvenirs meurtris. Ils marchent pour les corps absents, les corps abattus, et chaque semaine ou presque un nom vient s'ajouter à la liste des victimes de cette « France minoritaire du racisme ». Le lynchage de Habib Grimzi dans le train de Bordeaux, dans la nuit du 14 au 15 novembre, les a à peine surpris. Une blessure de plus dans cette mémoire qui témoigne sur une époque de crise et de haine.

L'égalité qu'ils revendiquent n'est pas un slogan ; cela a un contenu très concret : égalité des droits, égalité des chances pour le travail, à l'école, pour le logement, face à la justice. Ils insistent tous sur ce dernier point et me citent les noms d'assassins d'immigrés vite remis en liberté.

Marche symbolique et non vindicative. Leurs références viennent de loin : Gandhi, Martin Luther King. Pour eux, c'est une nouvelle alternative à la mobilisation classique qui, en temps de repli sur soi, n'a plus beaucoup d'effet. En marchant, ils veulent dire la France de demain, une France multiraciale, une société de plusieurs couleurs, une espérance plus forte que tous les rejets.

Ce qui est remarquable, c'est la grande maturité politique de ces jeunes. Tout les désignait à la dérive délinquante où à la riposte violente au racisme qui a tué en quinze mois quarante-cinq de leurs camarades. Ils ont su garder leur calme. Ils sont pourtant écorchés vifs, à la limite de la patience. Leur vengeance est un cortège qui voudrait réveiller les consciences, alerter la France, socialiste ou pas, rappeler que la violation des Droits de l'homme a lieu aussi dans ce pays démocratique.

1. C'est ainsi que les jeunes Maghrébins de la nouvelle génération se nomment entre eux. Les « vieux », ils les appellent les « sonaques » parce qu'ils logent dans les foyers de la SONACOTRA.

progéniture, un écart énorme se creuse. Leurs enfants ne les comprennent plus, et vice versa ; ils ont enfanté une génération de mutants [1]. »

Problème d'identité ? C'est plus complexe. C'est un problème de paternité ou plus exactement de maternité : la

1. *La Nouvelle Génération de l'immigration maghrébine, op. cit.*

France qui les a vus naître se comporte comme une marâtre embarrassée, sans tendresse et sans justice.

La mère amnésique.

L'Algérie, qui pourrait être une mère, est aussi exaspérée que la France ; elle a en outre le comportement de la mère amnésique ; elle veut bien les reprendre sous son toit, mais elle leur demande de s'adapter, c'est-à-dire de changer : parler arabe, oublier l'enfance, se forger une nouvelle mémoire et surtout bien se tenir, ne pas poser trop de problèmes et ne pas perturber le paysage apparemment tranquille de la jeunesse locale.

C'est curieux ! la mère méditerranéenne est souvent boulimique et étouffante d'affection pour ses enfants. Elle est aussi intraitable pour les enfants qu'elle n'a pas désirés et qui se pointent un jour lui réclamant sa reconnaissance. Elle ne fera pas l'effort de leur parler une langue qu'ils pourront comprendre. Elle les ignorera avec dédain et sans mauvaise conscience.

L'autre, la marâtre, n'a ni le temps ni la disponibilité affective pour s'occuper d'eux. Elle les laisse, livrés à eux-mêmes, dans les grands ensembles, et n'intervient souvent que pour les châtier en cas d'infraction.

Combien de ces jeunes gens sont arrivés jusqu'à l'Université[1] ? Combien ont pu échapper à la délinquance, au mal de

---

1. 10 % seulement des jeunes Maghrébins arrivent au terme de la scolarité obligatoire ; 40 % sortent du système scolaire sans qualification ; 10 à 20 % arrivent à suivre plus ou moins une scolarité normale. Voir J. Tremblay, « Enfants d'immigrés, même sort que leurs parents », *Cahiers Faim et Développement*, n° 3, octobre 1980.

vivre, au désespoir brûlant qui les consume et les éjecte dans la banlieue de toutes les banlieues ? Combien ont trouvé à la maison une cellule familiale équilibrée, saine ? Quels repères sécurisants la famille peut-elle offrir face à la rue, à l'école, où leur identité et leur image sont remises en question, secouées et renvoyées au néant ?

Le temps passe et le corps s'use. La mémoire se fane ou s'exacerbe. Les souvenirs du pays deviennent d'étranges mythes. Le rapport avec l'Autre, le voisin, est un rapport de coexistence surveillée, vigilante et méfiante. Venus pour quelques années, combien d'Arabes se sont trouvés vieillis et sans espoir à la fin d'une longue et pénible saison d'exil.

Le regard de l'Autre ne se pose pas sur eux pour les reconnaître, mais pour les épier. Peu d'échanges. La culture de l'émigré arabe devient une culture de souvenirs. Cela produit une sous-culture, appauvrie et sans grande issue sur l'avenir. L'Arabe sent que sa civilisation n'est pas valorisée, qu'elle est ignorée et défigurée. Alors, il se tait. Il se fait tout petit et laisse ses enfants entreprendre l'aventure de s'éduquer dans la langue et la culture du pays d'accueil. Cela provoque tôt ou tard des conflits à l'intérieur de la maison : l'enfant portant son identité sur le visage, confronté à une culture qui le séduit et le repousse, se trouve entre deux pôles. Situation de déchirure. L'image du père n'est pas valorisée non plus. Inconsciemment, l'enfant refuse cette image du père. A la limite, il lui en veut, il est en colère, car son père n'est qu'un émigré, et sa culture ne le rapproche pas du pays mais l'écartèle et accentue chez lui le malaise.

Ce père, perçu négativement, vit une situation de conflit permanent où il se sait perdant. Son exil est vécu comme un premier échec symbolique, mais suscitant d'autres échecs, débouchant sur des impasses et des conflits inévitables. Ainsi, les éléments déplacés (dérangés) de la famille ne constituent pas une cellule nourrie par l'environnement et le temps des ancêtres (ce qu'on pourrait désigner par le terme de racines). Non, les éléments sont regroupés sur une terre froide, sinon hostile, une terre ferme, blindée, où il est presque impossible de creuser un trou pour poser les racines. La famille est installée à l'image de ces cités de transit : mal équipée, à peine accrochée à quelques pieux plantés par terre, elle subsiste dans le provisoire ; elle flotte et nourrit une espèce d'attente vague et confuse où il est dit, ou plutôt balbutié, des choses comme le pays, le retour, l'avenir des enfants, etc. Elle sent qu'elle est en suspens ; elle essaie de recréer la rue, le quartier, le village qui vivent dans le souvenir ; elle les fait venir dans les HLM, les installe dans les grands ensembles. Elle raccommode ainsi son petit univers manquant, sans réellement tenir compte des données environnantes : le voisinage problématique, la gageure de faire voyager la culture, le regard critique et violent des enfants qui grandissent dans l'insécurité, l'absence de repères et l'incertitude du futur.

C'est surtout ce regard inquiet, perturbé, qui devient le témoin et l'image d'une réalité, elle-même reflet et miroir d'une société comme prise au dépourvu et malmenée par ses contradictions (terre d'asile et d'exclusion).

Ne pas ressembler au père, enjamber le destin pré-établi, faire un travail de rupture, créer non une nouvelle identité, mais au moins de nouvelles structures pour s'y poser et ne plus être ce miroir objet, mais des individualités qui se définissent par elles-mêmes et non par la négativité, l'absence, le vide ou bien la référence à la génération des parents, ce qui a donné ce numérotage stupide de « deuxième génération ». C'est une génération certes, mais elle est orpheline, vivant en suspens, devant inventer avec les moyens du bord une identité visible, valorisée, c'est-à-dire qui les distingue positivement. Ce n'est pas toujours le cas ; les moyens sont de l'ordre de la dérive délinquante [1], ou de la violence désespérée, aveugle, sans but précis, sans sens, où l'on dépense le corps dans le risque, le danger — les rodéos de voitures, la drogue, la prostitution —, c'est très rarement qu'ils s'ouvrent sur la vie, c'est-à-dire sur une volonté de faire, d'agir, de créer quelque chose pour transformer ces données de misère. Certains ont pu faire des études supérieures, des carrières d'artistes ou de sportifs. C'est une infime minorité. D'autres ont trouvé un lieu pour exprimer le désarroi, la fièvre, la passion de vivre et surtout d'être reconnus ; ils ont créé des radios libres [2], des journaux, des associations... Les bribes d'une nouvelle culture commencent à se manifester. On cherche. On improvise. On expérimente. L'important, c'est de se faire entendre, même si peu de gens tendent l'oreille. Il faudra attendre plusieurs années pour savoir si nous assistons à l'émergence d'une culture ou à l'éclosion d'expressions hâtives multiples et désordonnées, témoignant d'un mal de vivre, voire d'une impossibilité de vivre dans des conditions de rejet et d'oubli.

Le racisme vise ces jeunes en priorité : ils portent sur le même visage, sur le même corps, les signes tragiques de la déchirure et de la rupture, les signes d'une liberté du désespoir : tout peut leur arriver ; ils sont capables aussi de tout faire arriver par leur disponibilité, leur audace, leur refus d'hériter d'une mémoire sombre, leur nonchalance qui fait d'eux des êtres dansant, marchant sur la pointe des pieds, à l'image de ce personnage petit vendeur de drogue dans le film *Neige* de Juliette Berto et de Pierre-Henri Roger ; ils sentent

---

1. Cela ne veut pas dire qu'il existe à proprement parler une délinquance spécifique aux jeunes Maghrébins. Comme le note Adil Jazouli, « c'est leur origine ethnique, la couleur de leur peau, leur différence qui les signalent plus particulièrement à des appareils policiers et judiciaires » (*op. cit.*).
2. La Haute Autorité pour l'audiovisuel et le ministre de la Communication ont fait une grave erreur, politique, cuturelle et humaine en interdisant la Radio arabe de Paris qui émettait 24 heures sur 24, et qui était très écoutée par toute la communauté.

que la terre sous leurs pieds n'est pas ferme ; elle est mouvante et parfois même absente ; peut-être qu'ils ont plus de mal à marcher sur la terre natale de leurs parents que sur celle de l'exil qui n'en est pas un ? Leur problème majeur se résume peut-être en cette interrogation : où se poser ? ici, là-bas ou ailleurs ? Ils vont, avec des portes, des fenêtres, des arbres sous le bras et ne savent où les planter, où élever les murs et le toit. Et dans quelle langue poser la question en supposant que quelqu'un est là pour les écouter ? En arabe dialectal, en kabyle, en français, en silence ?

On a dit souvent qu'ils sont déchirés entre deux cultures. Pour cela, il faudrait posséder les deux cultures en question, en être le dépositaire et s'installer tranquillement au-dessus, en haut d'une falaise ou sur une colline, et faire un choix. Or, ce n'est pas le cas. De l'une et de l'autre, ils ne possèdent la plupart du temps que des bribes, un schématisme que leur livre l'environnement, que grossit l'hostilité ambiante. Deux univers se confrontent par leurs caricatures ; cela donne l'image de sous-cultures face à face. Que peut-il en sortir ? Pas grand-chose, si ce n'est des éléments supplémentaires pour renforcer la perturbation, le désordre et le flou qui minent ces jeunes.

Le sociologue algérien Abdelmalek Sayad écrit : « Quand une culture a été appauvrie, quand elle a été mutilée au point d'être réduite aux expressions les plus caricaturales et les plus sommaires qu'on veut en donner, que vaut, en ce cas, l'intention de réhabilitation ? »

Que peuvent offrir les parents ? Sont-ils en mesure de concurrencer les attraits de la culture de rue, de les contrecarrer ? Que vaut la parole d'un père qui se réfère, soit à la tradition qu'il essaie de maintenir en vie dans la maison alors qu'elle n'est qu'un souvenir ou un morceau de vie en lambeaux, soit à l'autorité parentale qui ne se discute pas et qui devient la réponse répressive à des questions qui le dépassent ?

LA PRIÈRE ET LE REFUS

Avril 1975 : ouverture à l'aéroport Roissy-Charles-de-Gaulle d'un lieu de culte pour les musulmans.

Juin 1979 : la construction d'une mosquée à Annecy fait l'objet d'une controverse entre chrétiens.

Décembre 1979 : construction d'une mosquée à Mantes-la-Jolie pour 4 000 musulmans. Inscriptions relevées sur les murs de cette ville durant la construction : « Mantes ne sera pas La Mecque. »

Mai 1980 : conflits à Roubaix pour une mosquée.

3 mai 1982 : incendie de la mosquée de Romans qui avait été édifiée par la municipalité.

Campagne de solidarité avec les musulmans de Romans animée par la CIMADE, le MRAP, la LICRA, le PS, le PC, la CFDT...

18 mai 1982 : constitution d'une « brigade de libération » contre la mosquée d'Avignon.

21 mai 1982 : tract du club Charles-Martel : « Romanaises, Romanais, notre ville a donné l'exemple et le départ d'une nouvelle Résistance et nous vous en félicitons. Devant l'inertie et même l'adversité de nos " gouvernants ", nous ne pouvons résister que dans l'ombre et l'anonymat. C'est ainsi que commencèrent tous les mouvements de libération. Exigez un référendum sur l'immigration. Réduisons au silence les racistes antifrançais comme Badinter, Attali et autre Defferre (...). »

Le recours à l'islam est au fond un refuge, une digue pour préserver les racines et l'origine. L'islam tient lieu de culture, de langage et d'identité. Il est ce qui s'oppose à ce qui vient de l'extérieur — ici, l'environnement immédiat, considéré comme l'étranger. Il est la référence majeure et la réponse toute faite à des questions complexes et diverses. Une culture ainsi détachée de la terre et du peuple, où elle vit et évolue, se trouve vite réduite à une expression réactive et pas forcément positive. Elle est perçue comme un voile qu'on essaie de poser sur quelque blessure, sur des problèmes qui font peur. Ainsi, des parents maghrébins ont exagéré leur attachement à l'islam et aux traditions de leur pays pour faire échec aux tentations qui attirent leurs enfants, les aliènent et en font des étrangers. Face à ces positions dures, où le dialogue n'a pas beaucoup de place, les enfants réagissent par une forme plus ou moins violente de rejet. A leurs problèmes d'adolescents, viennent s'ajouter des conflits d'ordre culturel et existentiel.

Ce sont surtout les jeunes filles qui subissent le plus cette oppression. L'image de la fille, symbole de l'honneur de la famille, n'est pas très valorisée dans la société maghrébine.

La fille d'immigrés vit l'exil dans l'exil. Elle accumule et cristallise en elle les éléments contradictoires d'une vision du monde qui ne l'englobe que pour la neutraliser, étouffer sa voix ou essayer de la résorber dans ce qui tient lieu de culture traditionnelle.

C'est la fille qui, dans cette situation où elle n'a souvent le choix qu'entre deux exclusions, la famille ou la fugue, a en elle le plus de violence, de volonté vive de changement. Elle est le centre de plusieurs cercles concentriques constituant des murailles qui l'isolent, la préservent en la tenant prisonnière, et la gardent comme l'otage d'une situation impossible. Même les parents analphabètes citent en ce cas l'étape historique des Arabes avant l'arrivée de l'islam qui enterraient leurs filles vivantes pour ne pas avoir à affronter plus tard les problèmes de l'honneur.

Aujourd'hui, on ne les enterre plus, mais on ne supporte pas que leur vie échappe à la volonté du père, lequel plaide les circonstances exceptionnelles qu'est pour lui l'exil. Plus que dans le pays natal, il faut, sur le plan des mœurs, se montrer irréprochable, vis-à-vis des proches voisins — les cousins par exemple — et de la société d'accueil — les Français dont on critique sévèrement le modèle de société permissive, jugé par le Maghrébin comme a-religieux et a-moral. Il s'agit pour la famille maghrébine d'opposer un modèle de vertu, de rigueur et de droiture à une société qui ne sait plus ce que sont la honte et la pudeur. Ainsi, à la pauvreté et au manque, la famille maghrébine voudrait opposer une tenue morale qui s'inscrive dans une civilisation où des valeurs, qui paraissent ici désuètes, sont respectées et célébrées. Un sentiment quelque peu secret de supériorité est ainsi entretenu.

C'est là une forme subtile et non violente de racisme inconscient, il est à base culturelle [1].

C'est rarement avoué, mais, si une jeune fille maghrébine décide un jour de se marier avec un Européen — on dit un chrétien —, c'est le refus systématique de la part des parents, suivi de conflit ouvert et de reniement à l'égard de la fille. Pour cela, deux explications : la première est générale, valable ici et dans le pays natal : la loi musulmane interdit le mariage d'une musulmane avec un non-musulman et permet l'inverse (ceci va dans le sens de la discrimination traditionnelle à l'égard de la femme). La seconde est plus conjoncturelle : elle est d'ordre sociologique et psychologique ; le Français est étranger à la religion, à la culture, à la langue, aux coutumes, etc. — car, même s'il se fait musulman, cet homme sera toujours perçu comme l'étranger qui a cassé le système endogamique.

---

1. Dans une enquête récente sur les immigrés du Maghreb et leur adaptation à Marseille (in *Les Immigrés du Maghreb ; études sur l'adaptation en milieu urbain*, PUF, Paris, 1977), on a constaté que les Arabes hésitent à vivre vraiment et pleinement leurs manifestations culturelles : « Rares sont les familles musulmanes qui continuent de pratiquer de façon longue et... bruyante les fêtes rituelles. Mais encore plus rares sont les Français invités à ces moments de communion collective : il semble que le groupe algérien, dans la mesure où il retourne aux sources de sa culture originelle, ne souhaite pas partager un patrimoine spirituel avec des étrangers qui n'en connaissent pas les clefs symboliques. »

La couleur de la peau, le son de la langue, l'odeur d'une cuisine, le bruit d'une fête peuvent déclencher la haine raciale. En tout cas, en France, le racisme militant a tué beaucoup d'Arabes, entre janvier 1970 et janvier 1980 : 68 Arabes tués, une centaine de blessés (chiffres officiels). Beaucoup de cafés et foyers arabes ont été mitraillés ou incendiés, surtout dans le sud de la France. La plupart des meurtres sont restés impunis. Il y eut même des acquittements pour des meurtres avec préméditation (le cas de Gérard Gosset, acquitté par la cour d'assises de Guéret en janvier 1978 ; il avait tué un travailleur algérien).

Dans « Le préjugé de race », article paru dans *le Courrier de l'Unesco* (novembre 1983), Michel Leiris fait remarquer : « Quand on constate chez un groupe tenu à l'écart une tendance au racisme (se manifestant soit par l'endogamie volontaire, soit par l'affirmation plus ou moins agressive des vertus de sa " race "), il faut n'y voir qu'une réaction normale, d'" humiliés et offensés " contre l'ostracisme ou la persécution auxquels ils sont en butte et n'en pas faire un indice de la généralité du préjugé racial. »

L'hospitalité maghrébine a ses limites : recevoir l'étranger, partager avec lui le repas et le gîte est une loi coutumière ; l'introduire et l'intégrer dans le clan, en faire un membre à part entière de la tribu, est une forme de trahison de l'ordre ancestral.

Le fils pourra, en prenant des risques, imposer à son milieu et à sa famille une épouse non musulmane ; on ne l'acceptera jamais tout à fait ; on tolérera plus ou moins le fait en espérant que l'autorité mâle ne se laissera pas corrompre par les attraits de la civilisation étrangère.

En terre d'immigration, ces lois régissent l'ordre social de la communauté maghrébine de manière aiguë. Du fait de l'exil, ces lois deviennent des repères d'identification. Ce sont les jeunes filles qui souffrent le plus de cette résistance au mélange inter-racial, car elles vivent une situation ambiguë [1] : elles ont été élevées tant bien que mal dans une tradition appauvrie, désuète, dans l'opposition de deux cultures : elles vont en classe, voient les filles françaises de leur âge vivre selon leur désir et en toute liberté, du moins apparemment ; de retour à la maison, elles doivent changer de regard, parler une autre langue, faire d'autres gestes, s'adapter à un autre

---

1. Les jeunes Maghrébines apparaissent comme la dynamique et la volonté d'un réel changement. Ce n'est pas un hasard si, sur les quelques centaines de jeunes immigrés qui accèdent à l'enseignement supérieur, il y a — d'après l'enquête d'Adil Jazouli — une majorité écrasante de filles.

pays, un pays qu'elles ne connaissent pas, c'est la terre intérieure de leurs parents. Ce va-et-vient entre deux mondes finit par brouiller les repères, surtout quand le père veut imposer à sa fille un destin qu'il lui a fabriqué. Au fond, le sort de sa fille l'intéresse moins que sa propre capacité de rester fidèle à la culture du pays qu'il a quitté. Tout cela est l'œuvre de la pression sociale qui, lentement, dépossède l'immigré de ses gestes et de ses désirs.

Le refus de cette pression s'assimile au refus du père et de la mère, agents bien démunis d'une société qui les poursuit dans ses aspects répressifs jusqu'en terre étrangère. Elle se fait plus dure, plus culpabilisante à cause justement de la situation d'abandon, de solitude et d'hostilité. Non seulement l'émigration a volé au père son corps, et à la mère sa jeunesse, mais elle impose en plus le vol de l'avenir des enfants, et surtout instaure un système d'autorépression qui finit par déstructurer la famille, par la rendre victime d'une vision caricaturale du pays laissé derrière soi. L'émigration produit ainsi des fissures dans la sécurité ontologique, et rend l'assemblage de ces êtres mutilés très conflictuel. Les problèmes de génération, d'opposition parents-enfants, ne sont bien sûr pas propres à la situation émigrée. Ils prennent une acuité plus grande parce que la référence sécurisante, les repères ancestraux, manquent ou sont flous. D'où les rapports de non-communication entre le père et la fille, entre la fille et le frère, et la complicité qu'on pourrait espérer entre la fille et la mère est souvent inhibée.

Même si la jeune fille n'est pas convaincue par le mode de vie européen, elle essaie de s'y insérer pour échapper à l'oppression qu'elle subit à l'intérieur de la famille. Ainsi, malgré le déplacement, l'homme maghrébin essaie de maintenir vive la pression sociale qui régit les rapports entre hommes et femmes dans son pays. C'est une façon pour lui d'exprimer son attachement à la culture de ses ancêtres. Il sait, par ailleurs, que cette attitude rigide et figée ne favorise pas le déblocage de la société française à l'égard des Maghrébins. Quel que soit le lieu, on essaie de reproduire les mêmes rapports. Comme l'écrit Germaine Tillion dans *le Harem et les Cousins* [1] : « Dans toute la Méditerranée Nord et Sud, la virginité des filles est une affaire qui fort étrangement concerne d'abord leur frère, et plus que les autres frères leur frère aîné. Un petit mâle de sept ans est ainsi dressé à servir de chaperon à une ravissante adolescente dont il sait très exactement à quel genre de péril elle est exposée. Or ce risque est présenté à l'enfant comme une cause de honte effroyable, qui doit précipiter dans l'abjection la totalité d'une famille pleine d'orgueil, éclaboussant même les glorieux ancêtres dans leurs tombeaux, et il est, lui, moutard mal mouché, personnellement comptable vis-à-vis des siens du petit capital fort intime de la belle jeune fille qui est un peu sa servante, un peu sa mère, l'objet de son amour, de sa tyrannie, de sa jalousie... Bref : sa sœur. »

L'homme immigré entretient un rapport caricatural et souvent violent avec son pays et ses traditions parce qu'il a une grande angoisse : celle de voir sa progéniture lui échapper ; cela le rend crispé et intolérant, car il sait qu'il n'a pas les moyens de la retenir.

A travers sa fille, l'immigré ne vit pas seulement le choc des cultures, mais se sent obligé de mener une lutte inégale entre deux pressions sociales : l'une, lointaine mais intériorisée — le pays ; l'autre, présente, provocante et même hautaine — la terre d'accueil. Comment mener ce combat silencieux et surtout non déclaré ? A travers les enfants ! Hélas, ceux-là sont acquis à l'autre pression, plus attrayante et visiblement plus accueillante. D'où les réactions terroristes du genre claustration, mariage forcé, menace de renvoi au pays où elle n'est pas née, etc.

1. Éd. du Seuil, Paris, 1966.

A la parole d'un islam réduit à quelques schémas, mal aimé, mal vécu et pas très bien compris, répond une culture spontanée des rues, et des images récusant cette référence au religieux sans même faire l'effort d'en saisir l'origine et le sens.

La virulence du racisme antimaghrébin s'abat aussi bien sur le père de famille qui traverse la rue, que sur le visage brun de l'adolescent qui cherche du travail, ou la jeune fille qui fait une fugue [1].

Dans une étude sur « l'insertion des jeunes filles d'origine étrangère [2] », ce constat : « La famille peut (...) constituer un frein, un obstacle à l'insertion de la jeune fille. Cependant, elle est aussi pour elle un facteur indispensable d'équilibre, une structure de protection irremplaçable. Rares sont, en définitive, les jeunes immigrées qui s'assument — et surtout qui sont capables de vivre seules, d'assumer pleinement leur autonomie en pays étranger, sans le soutien naturel et affectif de la cellule familiale.

» Demandeuses d'emploi, elles subissent une forme insidieuse de racisme : certains emplois (vendeuses, par exemple) leur sont refusés, " sous le prétexte plus ou moins fallacieux que la clientèle française éprouverait des réticences à avoir affaire à des étrangères " ! »

---

1. Le rapport Gaspard dit qu'il ne faut pas surestimer les manifestations de racisme : « Les violences inadmissibles commises à l'encontre des immigrés ou de leurs lieux de culte sont le fait d'individus isolés, ou de groupuscules d'extrême droite, dont le but est de déstabiliser l'équilibre qui s'est établi entre communautés. »
Il faut admettre que les individus isolés sont nombreux et que les groupuscules d'extrême droite sont efficaces. Et que dire du langage, peut-être plus que de la pensée, raciste, que même certains candidats de gauche aux municipalités ont dû utiliser ? Françoise Gaspard, qui a renoncé à son poste de maire de la ville de Dreux, écrit : « Les faits sont là : à Dreux, à Roubaix, à Grenoble, à Chambéry, dans certains quartiers de Paris, la campagne des municipales s'est moins jouée sur un bilan de gestion ou sur un programme municipal que sur la présence d'immigrés transformés en enjeu électoral » (*Actuel Développement*, juin 1983).
2. Rapport au ministère du Travail, « L'insertion des jeunes d'origine étrangère dans la société française », *la Documentation française*, mai 1982.

Une fille qui ose s'exprimer — en s'opposant, en affirmant son individualité et son indépendance — est généralement mal vue ; elle est considérée comme un élément de désordre porteur d'une double trahison ; elle froisse deux images et devient elle-même une blessure qui blesse : elle provoque une déchirure dans le tissu social originel, sensé être maintenu dans sa réalité malgré ou à cause de l'émigration ; puis elle perturbe l'image que la famille essaie de donner du pays d'accueil. Prendre la parole est une forme de rébellion [1] ; ce processus peut parfois aboutir à l'émancipation ; il se trouve accéléré du fait de la cohabitation de deux univers, celui d'où on vient et qu'on transporte avec soi (il fait partie des bagages, même s'il supporte mal le voyage), et celui dans lequel on tente de vivre en attendant un éventuel retour au pays. La fille, même si elle est solidaire de la famille et de l'ensemble de la communauté à cause notamment de la menace raciste, prend une distance avec son milieu pour signifier une rupture qu'elle vit dans son corps et son psychisme : la situation d'exil — elle ne l'a pas choisie ni cautionnée — devient pour elle une exigence pour affirmer sa volonté de comprendre, d'agir, et surtout de ne pas reproduire l'itinéraire (le destin) des parents. Son obsession : ne pas leur ressembler. Puisque le déracinement est en soi une fatalité et un échec, elle voudrait en faire une dynamique de libération. Elle n'y arrive pas toujours. Les pressions interviennent de tous les côtés. En face d'elle, l'image de la mère : souvent sacrifiée, elle est recluse dans l'exil. Son handicap majeur : pas de prise sur l'espace immédiat ; dépossédée de sa terre et de l'univers féminin traditionnel, elle se consacre entièrement aux tâches ménagères ; ce qui satisfait et rassure le mari. Elle se sent cependant responsable du devenir des enfants, car dans la

---

1. Une autre manière de s'exprimer parfois : les tentatives de suicide qui sont des « suicides d'appel ».

tradition, l'éducation est son domaine de pouvoir, son expression fondamentale même si elle s'inscrit dans une morale et une structure préétablies.

L'hostilité de l'environnement d'accueil ne la prédispose pas à chercher l'échange culturel, à imposer sa différence de pensée et de vie. Comme l'écrit le sociologue libanais Sélim Abou, « d'instinct et d'un même mouvement, la famille renforce ses défenses culturelles pour résister à l'altérité menaçante de la société d'accueil et resserre ses liens affectifs pour surmonter la tension provoquée par les contacts répétés avec cette société. Il importe de préciser d'avance que si cette stratégie a pour but de défendre les enfants contre la menace réductrice de la société d'accueil, c'est pour les préparer à s'intégrer de manière créatrice dans cette société, c'est-à-dire à y affirmer une identité culturelle originale susceptible de réconcilier la famille et la société [1] ».

Cette analyse est valable pour l'immigration qui cherche à s'insérer de manière positive et peut-être définitive dans la société d'accueil ; ce qui est le cas des Libanais en Amérique latine. En France, les défenses culturelles, en tant que résistance d'une identité, se trouvent souvent défaillantes à cause du manque de concertation, des divergences de motivation chez les enfants et aussi à cause de la violence raciste qui remet en cause tout projet d'insertion et de partage.

Ces enfants, parce qu'ils ont un trouble d'identité, ne peuvent participer au renforcement des défenses culturelles ; ils ne savent pas où poser les pieds. Même munis d'une carte d'identité française, ils restent en suspens d'identité, en manque d'une conscience forte de leur appartenance. Ils sont en instance, et s'ils reçoivent de la part de la famille un « ordre de retour », ils restent dans la crise. Avant peut-être de

---

1. « Intégration et accumulation des immigrés : un modèle d'analyse », in *Migrants Formation,* n° 29-30, octobre 1978. Voir, du même auteur, *Liban déraciné, immigrés dans l'autre Amérique,* collection « Terre humaine », Plon, Paris, 1978.

brandir la citoyenneté administrative, ils ont besoin d'acquérir la citoyenneté culturelle, celle-là même qui les identifie et les différencie ; elle leur donne une voix et un visage. Mais tant que la partie xénophobe de la société française les rejette sur leur seule apparence physique, la carte d'identité de l'État français n'est qu'un papier dénué de toute valeur, du moins symbolique et culturelle. La France connaîtrait-elle, dans les années à venir, la crise économique aidant, une situation proche de celle de l'Amérique face au problème des Noirs américains [1] ? M. Michel Tibon-Cornillot pense que ce risque existe. Il écrit dans le Monde du 24 août 1983 : « L'immigration maghrébine oblige la société française à se reposer des questions essentielles. Elle doit le faire sur fond de crise économique, d'affrontements politiques. (...) le système social en France doit faire un nouvel effort d'ouverture et de souplesse pour intégrer ces 2,5 millions de personnes d'origine maghrébine. (...) Échouer signifierait le déshonneur pour le pays, car il n'est pas non plus impossible que des affrontements terribles et sanglants puissent avoir lieu, réveillant les vieux démons que cache le peuple français en son sein. »

Le rapport Gaspard attire lui aussi l'attention des responsables sur les risques d'une absence d'insertion des familles immigrées, ce qui « reviendrait à laisser jouer les tendances naturelles à la marginalisation qui conduisent les jeunes immigrés à abandonner la résignation de leurs parents pour choisir la révolte. Révolte encore sporadique mais dont on imagine mal le coût pour la société si elle se généralisait dans

---

1. Dans le Figaro du 13 octobre 1983, Edmond Bergheaud fait de la prospective : « Il faut parler de l'avenir. En prenant au plus bas les projections sur l'avenir, dans les dix prochaines années naîtront plusieurs millions d'enfants d'immigrés. Si bien que la population immigrée totale, compte tenu du million d'enfants déjà scolarisés et de la population immigrée adulte, représentera sept ou huit millions de personnes. » Comme le fait remarquer Delfeil de Ton dans le Nouvel Observateur du 21 octobre 1983 : « La presse Hersant à inventé une nouvelle race : la race immigrée. Un enfant d'immigré est lui-même un immigré. Et ses enfants seront bien sûr des immigrés. »

une explosion dont la Grande-Bretagne nous a fourni le triste exemple ».

Il n'y a pas que les ratonnades et autres actions terroristes qui poussent les immigrés à se marginaliser, à se cloîtrer et à se replier en silence sur eux-mêmes. L'information les concernant les marginalise aussi.

Il n'est pas exclu de voir par exemple l'islam intégriste s'emparer du vide culturel et de l'abandon dans lesquels se trouvent des milliers de jeunes pour provoquer une espèce de guérilla culturelle. Il ne faut pas oublier que l'islam schématisé et fanatisé réussit à s'implanter là où la démocratie, la liberté d'expression et le débat culturel manquent. Si en effet l'État français continue d'assister sans réagir vigoureusement à la violation des Droits de l'homme sur son territoire par la haine raciale, il se trouvera un jour confronté à une communauté blessée et en colère, qui aura subi plus d'un préjudice, sa dignité foulée aux pieds par un destin et une histoire funestes ; elle sera à ce moment-là en droit de lui réclamer des comptes et d'engager dans le temps et devant les peuples sa responsabilité.

A partir des extravagances iraniennes, l'islam, surtout dans la grande presse, a été rejeté en bloc, assimilé à la barbarie du fanatisme. On a tout confondu dans une vision réductrice : la religion et la culture, les Arabes émirs et les travailleurs immigrés, intégrisme iranien et appel à la guerre sainte, etc. L'immigré maghrébin a été la cible et le catalyseur de tous ces projets, de toutes ces craintes.

On sait combien les milieux intellectuels du Moyen Âge occidental ont dénigré et déformé le message islamique. Alain Grosrichard rappelle dans un essai remarquable, *Structure du sérail* [1], combien le Moyen Âge a répandu à propos de l'islam « une littérature à la fois fantastique et injurieuse » ; « la principale référence pendant plus d'un siècle, et (qui) servira

---

1. Éd. du Seuil, Paris, 1979.

de *Vade mecum* à beaucoup de voyageurs en Orient, fut *l'Histoire générale de la religion des Turcs,* de Michel Baudier, publiée en 1626. Il se proposait de rétablir la " Vérité " sur le faux prophète (...) né de " la plus basse lie du peuple ". (...) Ses " bourdes et contes fabuleux " suffisaient à repaître " les sens d'un peuple grossier et ignorant comme les Arabes " ».

Le philosophe tunisien Hichem Djaït constate dans *l'Europe et l'Islam* [1] que « les préjugés médiévaux se sont insinués dans l'inconscient collectif de l'Occident à un niveau si profond qu'on peut se demander, avec effroi, s'ils pourront jamais en être extirpés ».

Tout a été dit sur la déchirure, le malaise, le trouble et l'incertitude de cette génération. Il est temps qu'un débat s'instaure, auquel prendraient part plusieurs instances, car il n'existe pas de solution unique ou d'issue miracle à un réseau complexe de problèmes. Et par quoi commencer? le juridique ? le psychologique ? le politique ? le culturel ?

Il faudrait d'abord commencer par faire tomber les préjugés et les obstacles : informer en toute neutralité la société française sur la gravité et les difficultés du problème. Il serait utile d'établir le bilan d'une génération vouée à l'orphelinat culturel et à la fragilité ontologique ; répartir ensuite les rôles et les responsabilités dans l'examen de la situation. Pour cela il faudrait entendre la parole multiple et diverse, contradictoire [2], perturbée et révélatrice de ces milliers de jeunes ;

1. Éd. du Seuil, collection « Esprit », Paris, 1978.
2. Se rappeler par exemple les déclarations pitoyables et malheureuses de ce jeune fils de harki qui a dit dans l'émission « Les immigrés sont-il toxiques ? » : « Ce sont les immigrés, les Algériens d'origine algérienne qui nous piquent le boulot ; ils doivent retourner dans leur pays ! » Puis : « Oui, je suis raciste ; oui, je voterai pour le Front national... » Tant de misère et de trouble ne sont autres que le deuil de soi.

impliquer ensuite les pouvoirs, d'ici et de là-bas, et ne rien décider sans consultations, sans débats [1].

Aujourd'hui, on est à peine au stade balbutiant mais bruyant de l'observation ; on se rend compte qu'ils existent et qu'ils ont des problèmes. Certains avancent déjà des solutions : on parle d'intégration, d'assimilation ; d'autres évoquent l'envoi (et non le retour ou le renvoi) de ces jeunes au pays de leurs parents.

On ne peut les accuser d'être en situation irrégulière. Mais nombreux sont ceux qui vont à la dérive et qui s'absentent : absents d'eux-mêmes, ils sont sans repères. Il est inutile de leur opposer un imaginaire, une terre, une patrie qu'ils ne possèdent pas et qu'ils ne peuvent vivre par procuration.

Mère amnésique et père cynique : telle est la famille à laquelle on voudrait les envoyer, alors que la terre natale ne leur accorde qu'une citoyenneté de pacotille, un masque sur un visage, un bout de papier qui ne leur assure même pas une protection en cas de crise.

---

1. C'est significatif et important que M. Mitterrand se soit déplacé dans les ZUP de Saint-Étienne et de Vénissieux, qu'il a « préféré voir par lui-même ».

VII

Les États marchands

Parmi les services qu'une banque marocaine installée en France rend à ses clients TME (travailleurs marocains à l'étranger)[1], c'est la garantie, contre la modique somme de 20 F, de rapatrier leur corps en cas de décès ! L'homme mort est assuré ; l'homme vivant est délaissé.

Ce qui me choque et me déconcerte chaque fois qu'un immigré maghrébin est victime du racisme, individuellement ou en groupe, c'est le silence et l'indifférence des autorités de son pays. Plus qu'une constante, c'est une vieille habitude. Cette absence de réaction n'est même pas concertée entre les différents États. On a l'impression que ce n'est pas dans leur tradition de s'indigner, d'exprimer un mécontentement ou une colère. En quoi la mort d'un de leurs citoyens à l'étranger – un ouvrier, un homme anonyme – les concernerait-elle ?

Cela ne veut pas dire que des réactions officielles de protestation n'ont jamais lieu[2]. De temps en temps, la presse offi-

1. Appellation devenue aujourd'hui RME (Ressortissants marocains à l'étranger).
2. Après l'assassinat de Taoufik Ouannès, les autorités algériennes en France ont pris en charge sa famille. Geste minimal. Une façon d'apaiser une éventuelle riposte d'une communauté touchée dans sa dignité et dans son corps. Les Marocains avaient pris aussi en charge la famille de Montigny-lès-Cormeilles accusée par le PCF de trafic de drogue (10 février 1981). Le journal marocain *Al Bayane* (communiste) consacra un éditorial à cette affaire : « En nous déclarant totalement solidaires de ce travailleur marocain et de sa famille qui résident à Montigny-lès-Cormeilles, nous prenons nos responsabilités de défense intransigeante des fils du prolétariat marocain où qu'ils se trouvent et nous nous refusons à ce qu'ils fassent les frais d'une campagne haineuse

cieuse dénonce prudemment les assassinats racistes[1], mais seulement lorsque la vague de violence prend des proportions importantes, touchant des institutions qui représentent symboliquement le pays, comme un consulat ou une agence de la compagnie aérienne nationale, lorsque l'État est visé. Le simple individu a tout l'exil pour mourir et un cercueil déposé à la banque.

Il y a absence de lien entre l'émigré et les responsables de son pays. Ils sont liés cependant par le calcul économique ; de ce fait, l'individu est noyé dans une masse compacte ; il devient une abstraction ; il n'est ni nommé ni reconnu. Cette attitude n'est même pas de l'ordre d'une mauvaise pensée. Elle est naturelle, et n'est pas spécifique au sujet émigré.

Le citoyen maghrébin est au service de l'administration et non l'inverse. Il a à son égard des devoirs et des obligations. Quant à ses droits, ils existent : on les trouve écrits dans la Constitution ou célébrés dans les discours politiques. De là à les mettre en pratique et à veiller à les faire respecter, c'est une autre histoire : celle quotidienne du sous-développement où le citoyen est suspecté s'il ose prendre la parole. Il ne croit pas vraiment à la justice de son pays. Il sait aussi qu'à l'étranger il sera seul, et qu'il devra faire attention de ne pas fauter, car s'il tombe entre les mains de la police, dans le cas d'une erreur,

---

apparemment infondée et qui fait honte à tous ceux qui voient dans le PCF le parti des travailleurs de France, quelles que soient leur race ou la couleur de leur peau. »

La presse d'opposition au Maroc (*Al Bayane*, et *Al Mouharir, Anoual, Al Balagh*, etc.) publie, malheureusement en de rares occasions, des enquêtes et analyses sur l'émigration.

1. Une dépêche de l'Agence France-Presse datée du 29 novembre 1983, c'est-à-dire deux semaines après le meurtre de Habib Grimzi la nuit du 14 novembre par trois jeunes Français candidats à la Légion étrangère dans le train Bordeaux-Vintimille, rapporte le commentaire, tardif, du quotidien algérien *El Moudjahid* : « Ce meurtre gratuit, stupide et incompréhensible relève du racisme à l'état pur, quelque chose de terriblement dangereux pour la société française (...). De tels actes trop fréquents ne peuvent résulter que du climat de haine et d'intolérance savamment entretenu par des milieux d'extrême droite dont le comportement et le discours rappellent étrangement ceux qui accouchèrent, voilà déjà plus de quarante ans, d'une tragédie dont l'humanité ne s'est pas encore remise. »

il sait que son ambassade ou son consulat ne vont pas se déranger pour prendre sa défense. Il ne peut se comparer au citoyen européen qui d'emblée se sent protégé par son ambassade à l'étranger.

Ainsi, si les droits de l'homme ne sont pas toujours respectés dans le pays, pour quelle raison, obscure et soudaine, verra-t-on une autorité politique s'émouvoir lorsque, là-bas, de l'autre côté des mers, un compatriote se fait descendre parce qu'il a fait chaud ? Pourquoi démentir tout d'un coup une indifférence généralisée, un comportement entré dans les mœurs, entériné par la routine et un mépris non formulé à l'égard du simple citoyen démuni ? Pourquoi y aurait-il deux politiques ? On réserve ainsi un traitement identique à tous les citoyens, qu'ils soient dans le pays ou à l'étranger. La même politique intérieure se poursuit et s'exporte.

Le manque de vigilance n'est ni systématique ni global ; l'État veille : la communauté émigrée est encadrée, surveillée et endoctrinée par des éléments qui agissent dans le cadre d'associations ou d'amicales.

En général, on ne favorise pas dans le pays l'information sur les réalités humaines, sociales et économiques de l'émigration. On laisse le peuple s'inventer sa mythologie, comme on ne cherche pas à démentir le discours complaisant et enjolivé que tient l'émigré à son retour pendant les vacances. Si, à la limite, on peut comprendre qu'un homme parti pour travailler, et aussi s'enrichir, raconte des histoires où la terre d'exil est présentée comme une prairie de rêve, on comprend moins pourquoi des journalistes, des sociologues et des hommes politiques contribuent par leur passivité à élaborer une vision et une image de l'émigration qui n'a rien à voir avec la condition réelle que vivent des centaines de milliers de leurs compatriotes[1].

---

1. Les écrivains et intellectuels du Maghreb sont généralement assez discrets sur la question immigrée. Il y a eu le roman de Rachid Boudjedra, *Topographie idéale pour une agression caractérisée* (Denoël) ; la pièce de Kated Yacine, *Mohamed prends*

L'émigré a un compte à régler avec lui-même : il est porteur de la faute. On ne pardonne pas, malgré tout, à celui qui quitte la terre, même si les conditions de misère l'ont obligé à le faire et même si au fond on l'envie en secret. Alors, il tient le discours de la vie qu'il avait rêvée. Il y a de l'ironie dans ce qu'il raconte. Il en est conscient, mais à aucun prix il ne voudrait avouer la vérité de l'échec et de la déstructuration d'un univers qu'il s'était inventé et où il voudrait se faire une petite place. C'est un discours où l'émotion piétine, où le projet de rêve se mêle à une réalité amère. C'est celui d'un homme blessé qui se sait abandonné des siens et qui ne peut, pour se défendre, qu'en accentuer les aspects artificiels et donc mensongers. Mais ce mensonge est vrai. C'est sa défense et son espoir. C'est son angoisse et sa misère qu'il rapporte ainsi dans des phrases et des objets — la quantité exorbitante de cadeaux à la famille — pour témoigner, sans en avoir l'air, de sa condition d'expatrié pas si heureux qu'il le prétend, mais probablement moins malheureux que ceux restés au pays !

En partant, il savait, peut-être de façon vague, que l'exil comporterait des risques, que le métier serait dur, et qu'un accident du travail pourrait se produire. Or, ce qu'il n'avait sans doute pas prévu, c'est que l'agression raciste ou l'assassinat gratuit serait aussi comptabilisé dans l'accident du travail,

---

ta valise ; la parole « sous la voûte des polices et des arrestations », un livre appelé l'*État perdu* de Nabile Farès (Actes Sud) ; des thèses de doctorat et quelques rares études économiques sur l'immigration.

Le premier livre qui a abordé le problème dans une fiction est le roman de Driss Chraïbi, *les Boucs,* écrit en 1954-1955 et publié en 1955 (Denoël). A sa réédition en 1976, l'auteur a rédigé cette courte postface : « La question m'a été posée — et je me la suis posée : suis-je encore capable, vingt ans après, d'écrire un tel livre, aussi atroce ? Il m'est difficile d'y répondre, sinon par une autre question : vingt ans après, le racisme existe-t-il encore en France ? Les immigrés qui continuent de venir travailler dans ce pays " hautement civilisé " sont-ils encore parqués à la lisière de la société et de l'humain ? est-il toujours vrai, selon feu mon maître Albert Camus, que le bacille de la peste ne meurt ni ne disparaît jamais ? » La parution, l'hiver 1983, d'un roman d'un jeune de la nouvelle génération, Mehdi Charef, *le Thé au harem d'Archi Ahmed* (Mercure de France), et l'accueil chaleureux qu'il reçut, marquent une étape heureuse dans la prise de parole par les principaux intéressés.

et que son pays s'en émeuvrait si peu et ne ferait pas le nécessaire pour mettre fin à l'insécurité à laquelle il allait être confronté.

L'hebdomadaire de la gauche socialiste marocaine *Al Balagh* titrait à la une dans son numéro de la mi-juillet 1983 : « Nous sommes tous des travailleurs émigrés ! » L'article dénonçait la manière brutale avec laquelle les agents de la douane et la police des frontières accueillaient les travailleurs émigrés de retour dans leur pays pour l'été. L'afflux important et souvent désordonné de milliers de travailleurs, qui reviennent dans des voitures surchargées d'enfants, de bagages — les fameux cadeaux —, est perçu par le douanier comme un défi à sa propre condition. Il y a là, en dehors de pratiques traditionnelles qui vont de la fouille à la recherche de quelque bakchich, une confrontation entre deux mythes basés bien sûr sur l'ignorance ou la désinformation : l'émigré est perçu comme celui qui a réussi et qui revient au pays enrichi (de toute façon l'émigré ne fait rien pour rétablir la vérité) ; il est aussi celui qui atteste la misère de l'agent d'autorité qui en profite pour exercer son pouvoir, son capital, sa petite « richesse ».

Sur le plan politique, il existe une forme de discrétion suspecte : l'émigration soulage le pays en difficulté de développement d'une masse importante de paysans et de manœuvres qui non seulement font rentrer des devises mais aussi amputent la classe ouvrière d'un capital humain considérable, ce qui l'affaiblit et reporte aux calendes grecques le processus de la lutte des classes.

Tout se passe, et quel que soit le système politique en France, comme un partage d'intérêts et de bénéfices.

L'économiste algérien Tahar Benhouria traite ce problème en termes de marchandises : « ... Il s'agit de substituer à une vente libre et dispersée de la force de travail sur les marchés européens un monopole d'État qui pouvait négocier à la place des travailleurs eux-mêmes les conditions de vente de cette

" marchandise ". Si les travailleurs tiraient quelques bénéfices de cette situation, le principe de la vente n'était nullement remis en cause. L'État algérien recherchait par cette action des bénéfices propres. Il pouvait contrôler, par l'intermédiaire de l'État français et de l'Amicale des Algériens en France — l'UGTA (l'Union générale des travailleurs algériens) n'ayant aucune fonction spéciale dans ce cadre —, le prolétariat émigré et, grâce à une habile propagande, arriver à se présenter comme l'État *protecteur* de ses intérêts quand il n'était en réalité que l'État marchand [1]. »

L'intérêt primordial réside dans le fait que cette « marchandise » de plus en plus institutionnaliée est source de devises [2].

Des chiffres sont avancés, mais ne correspondent pas à la réalité. D'après les ministères français de l'Économie, des Finances et du Budget, pour 1982 : les 492 669 Marocains ont envoyé à leur pays 3,1 milliards de francs ; les 805 355 Algériens, 66 millions de francs [3] ; et les 212 909 Tunisiens, 566 millions de francs.

Ces chiffres sont ceux que la France a pu comptabiliser. Mais il faut y ajouter plusieurs centaines de millions qui entrent au pays en liquidités ou sous forme d'objets et de biens de consommation durable — revendables — ramenés au moment des vacances.

---

1. *L'Économie de l'Algérie,* textes à l'appui, Maspero, Paris, 1980.
2. Pour attirer les devises, des mesures ont été prises : une prime de transfert de 5 % dans le cas du Maroc et de 12 % dans le cas de l'Algérie, destinée à compenser tout ou partie de la différence entre le montant nominal des devises cédées en Algérie et au Maroc contre dinars et dirhams. Par ailleurs, les Marocains qui transfèrent de manière régulière par l'intermédiaire de la banque (Banque Chaâbi) peuvent bénéficier de prêts en cas d'achat ou de construction de logements au Maroc.
3. Ce chiffre particulièrement bas s'explique par le fait que, de tous les Maghrébins, ce sont les Algériens qui sont le plus installés en famille. Ajouter à cela le trafic de devises que le gouvernement n'arrive pas à empêcher. Ainsi l'Algérien qui voudrait sortir à l'étranger s'arrange avec un émigré qui lui verse en France la somme dont il a besoin et qu'il lui rend en dinars algériens en triplant la somme.

Mieux que le phosphate ou le gaz aux prix aléatoires, ou le tourisme qui ne bénéficie pas d'une politique bien déterminée et efficace, l'émigration semble jouer, par cette entrée des devises, un rôle important dans l'économie du pays. Son arrêt immédiat — une supposition et simple hypothèse — serait une catastrophe. En tout cas, rien n'est fait, ne serait-ce que sur le papier, rien n'est pensé, dans le sens d'un éventuel retour de l'émigré, pour sa réinsertion économique, sans parler de sa réadaptation psychologique. Des retours individuels et volontaires ont lieu : ce sont ceux qui sont arrivés au terme de leur propre projet. Ils reviennent au pays parce que la petite maison qu'ils ont mis des années à construire est prête, parce que leurs enfants ont le désir du pays, parce que les économies amassées vont permettre à certains d'ouvrir une épicerie et se réintégrer dans la société qu'ils avaient été obligés de quitter. Ceux-là sont peu nombreux. Aucune statistique, à notre connaissance, n'existe à leur propos. Ce sont des cas isolés, car rien ne prédisposerait aujourd'hui un émigré à rentrer au pays. Envisager le retour ? Oui, mais pas en étant forcé, humilié et démuni.

De provisoire, l'émigration est devenue une industrie ; elle n'est plus temporaire ou occasionnelle, elle est entrée dans la phase de prolongation à l'infini, un peu à l'image de ces cités de transit installées pour un dépannage rapide et qui sont toujours là, des dizaines d'années après.

Aucun des trois pays du Maghreb ne peut sortir de ses dossiers un plan scientifiquement établi pour récupérer ce capital humain dont il s'est petit à petit séparé, jusqu'à l'oublier et ne pas inscrire un avenir pour lui et ses enfants dans les diverses prévisions. « En réalité, écrit Tahar Benhouria, la question de la réinsertion des travailleurs émigrés à l'étranger *n'a pas de solution* dans le cadre du régime économique et social de la présente période de l'histoire de l'Algérie. » Il cite ensuite le rapport de deux Algériens,

A. Belkaïd et A. Remili, qui ont représenté l'Algérie dans un séminaire international : « Il est (...) essentiel que toute politique de réinsertion prenne avant tout en considération la situation nationale de l'emploi et du logement. Or, qu'il s'agisse de l'un ou de l'autre de ces aspects, les services compétents soulignent, sur la base des données des prévisions actuelles, la marge réduite des possibilités offertes. Sur le plan de l'emploi, pendant près d'une décennie et sans changement plus profond des relations économiques internationales (migration des capitaux et des techniciens, division internationale du travail), seul serait hautement prioritaire le retour de 40 000 émigrés les plus qualifiés. »

Sur le plan politique, le retour, même d'une main-d'œuvre des plus qualifiées, n'est pas particulièrement souhaité dans aucun des trois pays [1]. On pourrait même dire qu'il est redouté.

Un tel afflux de travailleurs n'est pas souhaitable. Même s'ils n'ont pas été de farouches militants syndicaux, ils peuvent — ayant vécu dans le cadre d'une démocratie — avoir pris malgré tout l'habitude de revendiquer, de faire grève ou de manifester pour leurs droits, sans pour autant subir de répression, et perturber le paysage paisible de la classe ouvrière de leur pays, classe encadrée, contrôlée, soumise à une bureaucratie dont le rôle principal est de l'empêcher de s'exprimer.

Les pouvoirs politiques maghrébins ne conçoivent pas la formation d'un véritable syndicalisme. Lorsque au Maroc l'Union socialiste des forces populaires (USFP) créa la CDT (Confédération démocratique du travail) et que ce syndicat, totalement démarqué des autres comme l'UMT (Union marocaine du travail) et l'UGTM (Union générale des travailleurs

---

1. D'après le journal *El Mouharir* du 24 août 1977, le gouvernement marocain a chargé le ministre de Travail d'étudier un plan de réinsertion des émigrés. Qu'en est-il aujourd'hui ?

marocains), organisa en 1978 une grève dans l'enseignement et la santé, la riposte du gouvernement fut brutale et décisive : licenciement de tous les grévistes !

Gain sur trois plans : entrée des devises ; amputation de la classe ouvrière d'une partie importante de son capital humain ; maîtrise du mouvement syndical.

Le rôle des associations et autres amicales plus ou moins officiellement implantées en France est d'intimider, contrôler, voire dénoncer les éléments politisés et militants [1].

En ce sens, comment ne pas relever la part de responsabilité des autorités maghrébines dans la répétition des agressions contre leurs ressortissants ?

Ainsi l'insécurité est le lot de l'émigré maghrébin qui finit par intérioriser cet état de choses : il se sent abandonné par les autorités de son pays, vit dans la peur de se voir refouler par erreur ou à cause d'un incident, il sait qu'il n'est pas vraiment accepté comme il constate qu'il peut servir de cible à un tireur énervé, et que sa vie dans ce corps d'étranger n'a pas beaucoup d'importance. Il sait qu'il est réduit à sa force de travail, que son statut est dévalorisé et qu'il finit par créer un univers migratoire fantasmatique comme il est créé par lui. Déclassé, il n'a pas de recours. Alors il meuble sa solitude d'objets hétéroclites et remplit ses souvenirs de couleurs les embellissant.

En France, il rêve le pays laissé derrière lui ; au pays, il rêve la France. Entre l'hostilité du pays d'accueil et l'indifférence du pays d'origine, il promène sa valise pleine d'objets et d'illusions. Telle est sa défense.

Comme le fait remarquer Tahar Benhouria, « l'émigré de l'Algérie indépendante, à la différence de son prédécesseur de

---

1. Dans *la Semaine de l'émigration* du 20 mars 1983, une réaction de l'Amicale des Algériens en Europe, à propos des élections municipales françaises où la campagne a été souvent faite sur le dos des immigrés ; dans ce texte, l'Amicale écrit : « Nous avons peur. »

la phase coloniale — paradoxalement —, n'est pas un ouvrier algérien travaillant temporairement à l'étranger ; c'est une nouvelle *catégorie sociale* à cheval sur des situations sociales différentes, n'ayant prise sur aucune d'elles. Elle reste ballottée d'une part entre son exploitation forcenée par le patronat français et sa marginalisation vis-à-vis du mouvement ouvrier de ce pays, de l'autre entre son exploitation seconde par la classe dominante algérienne et sa position de retrait par rapport à la classe ouvrière algérienne [1] ».

Cette analyse du cas algérien est valable pour les deux autres pays du Maghreb, avec cette différence que les rapports entre les deux États, français et algérien, sont plus fréquents et plus étroits, et qu'ils portent souvent sur la question de l'immigration. L'Algérie, si elle est indifférente au sort de quelques individus, ne se désintéresse pas, du moins politiquement, de sa communauté émigrée en tant qu'entité et symbole.

Elle reste cependant fermée à la question délicate des enfants de harkis [2] et ne semble pas prête à prévoir quelque plan pour les jeunes nés en France.

Reporter vingt ans plus tard la culpabilité et la faute sur des enfants dont les parents ont fait le mauvais choix durant la guerre de libération est une erreur et un manque d'intelligence du cœur. Les harkis ont été assez humiliés par l'histoire, et leur sort est des plus inconfortables en France. Pourquoi rendre responsables ceux qui sont nés de cette dérive ? Pourquoi ne pas les accueillir et les intégrer, s'ils le désirent, dans le pays mal aimé ? Oubliés, méprisés, certains se tournent vers l'extrême droite et font de leur rancœur un racisme anti-algérien.

Quant à ceux de la nouvelle génération, ils posent à

---

1. *L'Économie de l'Algérie, op. cit.*
2. Supplétifs algériens musulmans de l'armée française durant la guerre d'Algérie.

l'ensemble du Maghreb un problème douloureux. Les États en sont-ils conscients ? Cherchent-ils au moins à comprendre cette jeunesse dans son urgence d'être et de vivre ? De même qu'un retour massif au pays de la classe ouvrière émigrée bouleverserait le paysage politique et social, l'arrivée d'une jeunesse née ailleurs, et habituée à un mode de vie et de pensée assez libre, dérangerait ce qui est établi.

Il n'est pas certain que cette jeunesse en quête de reconnaissance ne se trouve dans une position de refus et de rupture parce que l'État essaiera de lui faire endosser une mémoire qu'elle n'a pas connue ; elle devra s'insérer dans une identité plaquée. Adil Jazouli nie aux classes dominantes du Maghreb tout rôle dans la formation de cet acteur social nouveau. « Le seul rôle, écrit-il, qu'on peut leur reconnaître s'inscrit en négatif, du fait qu'après l'indépendance de l'Algérie, du Maroc et de la Tunisie, aucune politique cohérente de retour de la première génération de l'immigration n'a été mise en chantier [1]. » Quelle plate-forme culturelle accueillerait ces milliers de jeunes non attendus ? Un marasme qui s'épaissit de jour en jour : flou culturel ; absence de stimulant ; pauvreté des moyens : liberté d'expression limitée et surveillée ; rigidité idéologique ; émergence de l'intolérance, etc. Tout cela aboutit déjà à un désenchantement général d'une grande partie de la jeunesse maghrébine dont l'enthousiasme a été petit à petit éteint ou détourné. Certains hantent les cafés et les bars ; d'autres bricolent dans la solitude des textes qui ne trouvent pas d'éditeur ; ils se laissent gagner par la lassitude.

Dans le rapport de synthèse du séminaire Yakouren, les auteurs constatent : « L'absence de liberté d'expression culturelle a eu pour conséquence l'étouffement de la culture du peuple algérien, sa folklorisation et, partant, la consécration

---

1. *La Nouvelle Génération de l'immigration maghrébine, op. cit.*

d'un vide culturel (...). De complément à la production nationale qu'elle était censée être, la production culturelle étrangère (orientale ou occidentale) se trouve être, près de vingt ans après l'indépendance, la toile de fond de la vie culturelle algérienne [1]. » Il faut ajouter à cela la censure non avouée dont sont victimes nombre d'écrivains maghrébins.

---

1. Ce séminaire a été organisé au mois d'août 1980 par des universitaires et intellectuels algériens après les événements du printemps 80 en Kabylie. Les actes de ce séminaire sont réunis en un volume : *Algérie, quelle identité ?*, Éd. Imedyazen, Paris, 1981, 124 p.

VIII

Le mythe du retour

Avant les années soixante-dix, qui parlait de retour, et, surtout, qui en faisait un problème ? Il y avait un flux migratoire plus ou moins souple ; les uns arrivaient, d'autres rentraient définitivement chez eux à cause de l'usure, à cause de la nostalgie, ce désir de vieillir et de mourir au village.

On a commencé à évoquer le retour — massif ou individuel — avec la crise économique de 1973 et surtout certains brandirent le slogan du chômage aggravé par la présence sur le sol français des immigrés.

A partir de 1977, et après l'arrêt de l'immigration (1974), on essaya de mettre sur pied une politique d'assimilation des ethnies latines — ils sont moins étrangers, c'est-à-dire moins étranges et moins différents — et de refoulement des ethnies considérées non assimilables, c'est-à-dire difficilement récupérables. Curieusement, ce seront surtout les Portugais et les Espagnols qui accepteront le « million » du retour et non les Maghrébins dont on voulait se débarrasser, à cause de tout le passif historique mal digéré par certains responsables (70 % des bénéficiaires étaient d'origine européenne !) [1].

1. Une aide de 10 000 F était versée aux travailleurs immigrés même chômeurs qui acceptaient de quitter définitivement la France avec leur famille (30 mai 1977). En 1978, le Conseil d'État annulait certaines mesures restreignantes ainsi que cette « aide au retour ». Le gouvernement de l'époque ne tint pas compte de cette décision. Une campagne fut lancée par des mouvements de soutien aux immigrés pour dénoncer cette forme subtile d'escroquerie. Le gouvernement algérien déconseilla vivement, pour ne pas dire interdit, à ses émigrés d'accepter le retour dans ces conditions.

Pour les Maghrébins, le problème du retour est complexe tant il est chargé symboliquement et affectivement. En dehors du cas de retour volontairement décidé, donc préparé et surtout articulé selon une image positive — on revient parce qu'on a terminé un travail et qu'on a réussi —, le retour provoqué ou forcé est vécu comme un échec personnel et une humiliation de l'identité de la communauté à laquelle on appartient.

DES CHIFFRES ET DES HOMMES

Des immigrés, il y en a beaucoup. Trop, selon certains. 1983 aura été l'année de tous les fantasmes. Le nombre des immigrés a varié presque du simple au double : de 3 600 000 selon une enquête de *Libération* du 9 septembre à 6 millions selon *Minute*.

Le ministère de l'Intérieur s'est trompé lui aussi dans ses calculs : d'un chiffre à un autre, 159 999 étrangers avaient disparu, effacés d'un trait de plume ou évanouis sous le poids des archives. Qu'importe ! Le bulletin officiel les a retrouvés ; il annonce le chiffre de 4 459 068 étrangers en France au 31 décembre 1982 (866 595 Algériens, 492 669 Marocains, 212 909 Tunisiens). Quant à *Minute*, est étranger celui qui n'est pas blanc ; ainsi les Français originaires des départements et territoires d'outre-mer vivant en métropole sont considérés comme des immigrés...

D'abord, il est psychologiquement difficile, quand on a vécu vingt ans et plus dans une société, même si on y a mal vécu et à la limite surtout si on y a mal vécu, de repartir dans son village et de faire face à ceux, restés sur place, et qui ne sont pas en mesure de comprendre un tel retour. C'est vécu comme une brisure, une rupture brutale dans un ordre, une perturbation aux conséquences graves. Ensuite, le retour forcé est une injustice politique. L'immigré est traité selon la vieille tradition du rapport Nord-Sud, pays riches-pays pauvres, celle de l'échange inégal. L'immigré devient une abstraction, un élément quantifiable dans une analyse économique. Objet interchangeable, manipulable, qu'on renvoie après usure. Si seulement les autorités de son pays avaient envisagé son retour et préparé le terrain pour une réinsertion, pour mettre fin à une parenthèse dans une vie sans douleur et sans blessures supplémentaires. Comme rien n'a été fait ni d'un côté ni de l'autre, le retour — un nouvel arrachement aussi violent, sinon dans certains cas plus violent, que le départ en émigration — s'est imposé dans des termes autoritaires. Ce n'est pas un simple déplacement — l'autre terme du voyage.

Sur le plan juridique, il y a une hétérogénéité des statuts applicables. Cet éclatement correspond à la diversité des catégories d'étrangers en France, ainsi qu'à la diversité de politiques que l'État d'accueil entretient avec les pays pourvoyeurs. Mme Danièle Loschak note que « si l'on passe de la topologie du champ juridique à son fonctionnement, c'est-à-dire à l'engendrement et à l'agencement des règles applicables aux étrangers, on constate la prédominance d'une logique de l'exclusion, et l'interférence de plusieurs ordres juridiques [1] ».

Placé au confluent de plusieurs ordres juridiques, l'immigré est de fait exclu des droits subjectifs, c'est-à-dire les facultés et prérogatives reconnues (par le droit objectif) aux individus, ainsi constitués en « sujet de droit ».

Reconnaître des droits subjectifs aux immigrés revient à leur donner la capacité de se défendre contre les atteintes du pouvoir.

Cela apparaît de manière insidieuse dans certains cas où l'immigré — notamment s'il est nord-africain — a affaire à la justice.

Le Maghrébin est souvent encombré de son image, c'est-

---

1. Cf. *Le Droit et les Immigrés*, Association de juristes pour le respect des droits fondamentaux des immigrés, EDISUD, 1983.

à-dire d'un ensemble de préjugés qui lui collent à la peau et qui interfèrent de façon négative dans l'exercice de la justice, indépendante certes de l'État, mais pas des humeurs profondes de certains juges et jurés.

Ainsi, des meurtriers racistes ont été jugés avec un laxisme scandaleux ; certains même ont été acquittés, d'autres s'en sont tirés avec des peines légères.

Les Maghrébins attribuent ce décalage entre la gravité des faits et la légèreté de leur condamnation au racisme ambiant, déclaré ou hypocritement dissimulé. Ils savent aussi que la plus petite infraction à la loi sera, lorsqu'il s'agit d'eux, sévèrement punie. Ils vivent avec la menace de l'expulsion.

Le gouvernement socialiste, en régularisant une centaine de milliers de cas d'immigrés sans papiers, semble avoir adopté une politique plus prudente. Cela manque parfois de souplesse et de discernement (les difficultés d'entrée pour les voyageurs maghrébins : refoulement par la police des frontières de 16 000 personnes durant l'année 1982 ; rumeur d'imposer aux Maghrébins un visa d'entrée, etc.).

L'expérience a démontré que la question des immigrés ne peut être résolue ni par la violence ni par l'improvisation. Pour tout débat, il faut la participation des principaux intéressés, car même si les deux États négocient entre eux — ce qui est le cas —, les problèmes resteront posés.

Étant donné que les mentalités changent lentement, la question se poserait en ces termes pour la communauté maghrébine qui ne souhaiterait pas le retour au pays ou le différerait : comment vivre en paix en France ? Ou comment vivre en France sans perturber le paysage ? Comment se faire accepter sans renoncer à l'identité et, à la limite, comment faire pour que les cultures différentes circulent et s'échangent ?

En se regroupant dans des quartiers, en créant un ghetto (pas dans le sens péjoratif et dévalorisant), un lieu où le repli sur soi, l'exercice de ses traditions et coutumes, même si cela ressemble à de la culture réchauffée, pourrait éviter de déranger ceux qu'une bouffée de chaleur pousse au crime.

Cette idée, avancée par les responsables tunisiens, a été repoussée par M. Mitterrand [1]. La France — même si 19 millions de Français ont un de leurs grands-parents ou de leurs arrière-grands-parents étrangers — n'est pas une société d'émigration comme le sont les États-Unis d'Amérique. Cela étant, dans les faits, les communautés essaient de plus en plus de se regrouper dans un même espace. Une façon pour eux, non de recréer le village absent, mais d'être ensemble et de rompre l'isolement et la peur de l'insécurité. Une présence massive dans un même lieu peut aussi être mal perçue, non acceptée, par la société d'accueil, ce qui ne ferait qu'exacerber la xénophobie.

L'autre idée, en vue d'une assimilation progressive, est de répartir la population immigrée de manière harmonieuse dans les communes. A la base de cette idée, le *seuil de tolérance*. D'après la Commission nationale pour le développement social des quartiers, les trois quarts des logements insalubres qui existent en France sont occupés par des immigrés. On sait aussi que ce sont les communes les plus ouvrières qui ont accueilli le plus d'immigrés. Ce qui fait dire à M. André Lajoinie, président du groupe communiste à l'Assemblée : « il faudrait aller vers une répartition équitable des travailleurs immigrés entre toutes les communes dans le cadre de l'arrêt de l'immigration » (*le Monde*, 25 janvier 1983).

C'est vrai qu'à Neuilly il ne doit pas y avoir beaucoup d'immigrés (sauf peut-être des bonnes), ni d'ailleurs de

---

1. « Cette proposition va à l'encontre d'une politique plusieurs fois décennale et généralement du vœu des dirigeants des pays d'où nous viennent ces immigrés », a déclaré M. Mitterrand le 12 août 1983.

familles d'ouvriers français. Mais la formulation de ce désir de répartition a quelque chose de choquant, car encore une fois l'immigration est présentée négativement comme un mal nécessaire, un poids que toutes les catégories de la société française devraient supporter [1].

Avant de parler d'intégration qui commencerait par une répartition des populations immigrées sur tout le territoire, il faudrait peut-être les faire participer à la vie de leur commune. Or, plus personne n'évoque aujourd'hui la question du vote des immigrés. En 1978, le parti socialiste avait déposé une proposition de loi où un article prévoit le droit de vote des travailleurs immigrés, pas pour les législatives qui sont des élections politiques qui ne les concernent pas directement, mais d'autres élections comme les municipales. Le parti communiste a toujours été réticent sur cette question, voire fermement opposé.

M. Claude Cheysson, ministre des Relations extérieures, lors d'un voyage à Alger au mois d'août 1981, se conformant en cela aux positions du PS, avait laissé entendre qu'un tel droit pourrait leur être accordé en 1983. Le secrétaire d'État français chargé des Immigrés intervint le lendemain et assura que « l'opinion publique n'étant pas préparée à une telle réforme », il ne s'agissait là que d'un objectif « à très long terme ».

Le dossier fut ainsi fermé et la polémique avec la droite, qui commençait déjà à s'agiter, fut close. « Ce serait concevable », estimait M. Chirac, mais « hélas » les municipales en France sont des élections éminemment politiques (*le Monde*, 11 février 1983).

---

1. M. Mitterrand a déclaré lors de sa visite le 10 août 1983 à Vénissieux et aux ZUP de Saint-Étienne : « Certaines (communes) ne peuvent pas avoir un nombre excessif d'immigrés tandis que d'autres communes, ayant les mêmes conditions de logement, la même situation géographique ou les mêmes soucis de chômage, seraient indemnes de ce type de problèmes. »

Denis Langlois écrit dans *le Monde* du 1ᵉʳ avril 1983 : « Il est un projet qui a été très vite remballé : celui de donner aux étrangers le droit de vote. On parlait modestement, dans un premier temps, des seules élections municipales. Compte tenu de ce que nous venons de constater, compte tenu de l'étendue du mal, il devient urgent de dépasser cette limite. »

Si les immigrés avaient le droit de vote, ils s'intégreraient mieux dans la société française parce qu'ils se sentiraient concernés, consultés et impliqués dans la transformation du pays, pas uniquement sur le plan économique mais aussi social. Ils sont doublement exclus : du destin du pays qui les fait travailler et de celui qui n'a pas su ou n'a pas pu les retenir. Si eux, de par les liens financiers et affectifs qui les rattachent au pays natal, le servent et participent dans une certaine mesure à son économie — d'après un rapport de l'École nationale d'administration de Paris, en 1974, environ 2 à 2,5 millions d'Algériens vivent plus ou moins des revenus de l'émigration, soit un Algérien sur sept —, le pays, lui, ne s'implique pas en eux, ne les retient pas et, à la limite, ne les intègre pas dans ses plans et projets. Il est curieux de constater combien le désir de quitter le pays est fort chez les jeunes. Partir, parfois n'importe où, quelles que soient les difficultés !

En tout cas, personne ne peut nier ce paradoxe : les immigrés participent à l'économie des deux pays, mais ni l'un ni l'autre ne leur fait la place qu'ils méritent. M. Jacques Delors, ministre du Budget et des Finances, déclarait dans *le Nouvel Observateur* du 18 mars 1983 : « En vingt ans, la population étrangère en France a doublé, pour atteindre 4,3 millions de personnes en 1981. En vingt ans, le produit intérieur brut, c'est-à-dire la richesse nationale, a presque triplé. Je le dis tout net, nous n'aurions pas réussi cette performance sans les immigrés qui ont travaillé dur pour cela. Et l'on voudrait, aujourd'hui, en faire des boucs émissaires sous prétexte que la croissance forte n'est plus qu'un souvenir ? Cela n'est pas sérieux. »

Ni en ghettos, ni répartis harmonieusement dans le pays, ni intégrés véritablement, ils improvisent leur mode de vie et s'installent dans une espèce de long et pitoyable provisoire, où même la question du retour n'est évoquée qu'accidentellement ou rarement tranchée. Tous disent qu'ils envisagent de rentrer chez eux. Rares sont ceux qui avouent que ce n'est pas réaliste d'entreprendre un retour après deux ou trois décennies dans une terre qui les a peu à peu négligés pour ne pas dire oubliés. Une sorte d'autocensure les empêche de parler de ces problèmes délicats qui les mettent face à eux-mêmes, face à leurs contradictions et parfois soulignent leur échec. Le pays les oublie, mais arrive à intérioriser en eux la pression sociale, un mélange de nationalisme étriqué et névrotique et une obsession familiale qui les rappelle aux racines quitte à les culpabiliser [1].

Devenir français [2] pour certains Maghrébins, les Algériens notamment, est considéré, aujourd'hui encore, comme une trahison. Les Marocains et les Tunisiens entretiennent des rapports moins passionnels, moins tendus, avec l'ancien colonisateur. Ils n'accepteraient pas cependant facilement de voir quelqu'un de proche prendre la nationalité française.

---

1. Voir *la Mal-Vie*, le film, puis le livre de Daniel Karlin. Karlin écrit : « Si l'on veut comprendre, il faut changer la question. Du " pourquoi restent-ils ? " passer au " pourquoi ne peuvent-ils plus partir ? "... Autrement dit : comment la machination dont ils sont les victimes les a-t-elle le plus gravement atteints ? Comment a-t-elle créé en eux une structure de pensée qui les agit à leur insu ?

» Les derniers mots de Nourredine, quelques jours à peine avant son départ (en Algérie), m'ont mis sur la voie : " S'ils me refusent, je prends la nationalité française, et JE VIS POUR DE BON !... "

» Et quand Naïmi (le deuxième personnage du film) m'a parlé du rouge symbolique algérien dans le drapeau français, il m'a confirmé que j'étais bien là au cœur du problème. » *La Mal-Vie*, Éd. sociales, Paris, 1978, p. 236.

2. L'article 44 du Code de la nationalité dispose que — sauf à décliner cette nationalité dans l'année précédant ses 18 ans — l'enfant né en France de parents étrangers devient français à sa majorité automatiquement, sans formalités, si, à cette date, il réside en France et s'il y a résidé durant les cinq dernières années.

LA CRISE N'A PAS DE COULEUR

Deux campagnes ont été lancées en cette rentrée 1983 :

La première réclame « une carte unique valable dix ans renouvelable automatiquement non informatisée pour tous les immigrés ». Elle est appuyée par 44 organisations nationales et autant d'organisations régionales et locales (Cimade, 176 rue de Grenelle, 75007 Paris).

La deuxième campagne est lancée par le collectif « La crise n'a pas de couleur » (68, quai de la Seine, 75019 Paris) sous la forme d'un « manifeste pour le droit de vote des immigrés ». En outre, le même collectif est mobilisé pour « une campagne unitaire et massive contre le racisme, pour une solidarité effective Français-immigrés, pour la dignité de tous les immigrés, pour l'unité de la classe ouvrière ».

Ils y verraient un renoncement à quelque chose ou une brisure dans la solidarité communautaire. C'est à la limite moins une question politique que psychologique [1].

Dans l'ensemble, les immigrés maghrébins restent disponibles pour s'insérer dans le cadre et les structures qu'on veut bien leur proposer, pourvu qu'on tienne compte de l'élément culturel et qu'on veille sur leur sécurité.

1. L'économiste marocain Salahedine Mohamed raconte, dans un article sur la naturalisation des émigrés marocains, cette anecdocte : « Je prenais le métro à la station Belleville avec Hadi, un ami marocain de longue date, quand nous fûmes interpellés par des agents de police pour contrôle d'identité. En leur tendant ma carte de séjour je m'étais aperçu que Hadi était gêné ; il ne l'avait pas sur lui. On s'expliqua alors avec les agents de police puisque c'était un simple oubli. (...) J'ai su dans d'autres circonstances qu'il portait une carte d'identité française et ne voulait pas me révéler sa nouvelle identité... Il avait préféré passer la nuit au commissariat... »
« Précarité pour précarité, écrit Salahedine Mohamed, le retour au pays est considéré comme la plus mauvaise des solutions. Entre le racisme et la misère, la plupart des immigrés optent pour le ventre plein. »
On apprend dans cet article qu'en 1978, sur les 40 000 immigrés qui ont accepté l'aide au retour, il n'y avait que 1 900 Marocains ; 5 253 Maghrébins ont obtenu la nationalité française.
L'auteur ajoute que « la demande de naturalisation n'est pas le résultat d'un hasard. C'est un long processus d'intégration-assimilation aux valeurs culturelles de la société d'accueil » (*Lamalif*, n° 142, décembre-janvier 1983).

Ceux qui sont disponibles à la violence, à force de désespoir, de vide et de marasme, ceux qui vivent plus mal encore que leurs parents et éprouvent une urgence à donner un sens à leur destin, à remplir une vie, sont ceux qui n'ont pas fait le voyage, qui n'ont eu aucun choix et qui rôdent avec leur mal de vivre dans les grands ensembles, acculés à une survie dérisoire tant leur avenir a été confisqué et leur présent réduit à une attente aveugle ou à des occupations sans grand intérêt.

Chaque année, depuis 1974, naissent environ 85 000 à 90 000 enfants d'origine étrangère, soit 11 à 12 % du total des naissances enregistrées en France.

Entre 1975 et 1980, dans le cadre du regroupement familial, 150 000 enfants étrangers sont entrés en France.

Le nombre d'étrangers ayant entre 0 et 26 ans s'élèverait, au 1er janvier 1980, à 1 584 836, y compris les 120 000 adolescents devenus français à leur majorité selon l'article 44 du Code de la nationalité (38 % environ sont maghrébins).

La part des jeunes de moins de 25 ans dans la population étrangère, inférieure à 40 % en 1975, dépassera 50 % d'ici quinze ans.

IX

Les esthètes du silence

François Bott écrivait dans *le Monde* du 29 juin 1979 à propos de l'action de certains intellectuels en faveur des réfugiés d'Asie : « Ce réveil de la sensibilité dans une nation souvent différente nous fait espérer que les Français, soucieux de cette détresse lointaine, apercevront désormais le malheur qu'ils côtoyaient tous les jours sans le regarder. On veut croire qu'ils porteront le même intérêt aux travailleurs immigrés qui survivent près de Paris... »

Aujourd'hui, le cœur se ferme, la mémoire s'aveugle ; de temps en temps, le regard se porte ailleurs, sur la misère du lointain. Et on le fait savoir !

Après l'assassinat à Paris, le 27 octobre 1971, de Djellali Ben Ali, Sartre avait vivement réagi ; les 7 et 27 novembre 1971, deux manifestations importantes contre le racisme eurent lieu à Paris. Sartre était au premier rang [1]. Il avait comparé l'immigration à un « colonialisme à domicile ». Jean

---

1. Pourtant, dans un texte publié par *l'Humanité* du 3 mai 1974, en pleine campagne présidentielle, Jean Genet s'en prenait à Jean-Paul Sartre et « autres esthètes du silence » qui n'ont pas pris publiquement la défense des travailleurs immigrés : « (...) Il est déplorable que l'un des plus généreux des intellectuels français (...) n'ait pas eu le moindre mot en faveur des immigrés, le souci de recommander de voter, et dès le premier tour, pour le candidat de la gauche qui les défend : François Mitterrand. Cet " oubli " magistral, de Sartre et des intellectuels qui le suivent en aveugles, sera donc réparé par l'ensemble des travailleurs français. »

Genet, Michel Foucault, Claude Mauriac dénoncèrent à l'époque le racisme antimaghrébin.

Après l'été meurtrier de 1983, le silence des intellectuels est lourd[1]. Il ressemble à une forme de violence sourde, pas même un désenchantement ou une démission, mais une absence qui va au-delà d'une simple indifférence. Certains ont été par ailleurs bien bavards, prisonniers de leur narcissisme, cette complaisance qui est un feuillage jeté pour dissimuler un vide, une trappe.

L'air du temps est à la déculpabilisation, au renoncement sans douleur, à quelques attaches devenues tout d'un coup un ensemble d'erreurs.

C'est vrai, et même s'il y est pour quelque chose et à son corps défendant, Pascal Bruckner peut constater dans *le Sanglot de l'homme blanc* que « l'ensemble des valeurs du groupe Tiers-Monde accuse une nette tendance à la chute[2] » ; et l'on ressent cette tendance jusqu'à Nanterre et Genevilliers avec cette différence qu'elle ne date pas d'aujourd'hui, que les immigrés ont rarement été « à la mode » et qu'ils n'ont intéressé que des gens en dehors du circuit parisien — des individualités[3], des groupes militants, surtout dans les milieux chrétiens, des associations antiracistes, etc.

Le Tiers-Monde est là, à deux pas du centre parisien. Le Maghreb est sur Seine. Il suffit de vouloir le regarder. Il ne s'agit pas de l'aimer ni même de le défendre à tout prix, mais simplement de l'écouter quand il veut parler, et peut-être lui donner un peu de son temps, un peu de cette disponibilité ouverte sur les horizons lointains, sur les souffrances de peuples déshérités, victimes de la dictature des hommes et de

---

1. Aussi pesant que celui des intellectuels maghrébins vivant au pays.
2. Éd. du Seuil, Paris, 1983.
3. Voir les articles et autres prises de position courageuses de Stanislas Mangin, Jacques Robert, Juan Goytisolo, Denis Langlois, Étienne Balibar, Yves Benot, Georges Montaron, Lucien Bitterlin, etc. Les dessins de Plantu, Chenez, Cardon, etc.

la nature. Or, on confond l'immigré avec les régimes qui ont fait faillite dans le Tiers-Monde. La même déception, le même désaveu englobent dans un seul regard le tortionnaire et la victime.

La défense des droits de l'homme mobilise la France. Pourquoi exclure de cette action ceux-là à qui l'on refuse la dignité et qui vivent souvent avec la peur au ventre [1] ?

Est-ce une question de mauvaise conscience ? Ce n'est pas certain. De toute façon, comme le note Alain Burguière, « elle n'est pas forcément mauvaise conseillère ».

Le rôle des intellectuels ne consiste-t-il pas en une vigilance non sélective ? Pourquoi certains se manifestent plus vivement et plus facilement quand il s'agit de la dissidence dans les pays de l'Est ou d'autres formes de racisme comme l'antisémitisme ?

La polarisation qui prévaut dans le champ culturel international se situe entre l'Est et l'Ouest. « Elle protège, comme l'écrit Régis Debray, un processus des mauvaises rencontres ou de certains spectacles déplaisants [2]. »

Pourquoi la question immigrée ne les fait pas réagir ? Et pourtant c'est un problème bien français (il l'est au moins à 50 %). On sait pourquoi les partis politiques s'en méfient. On ne comprend pas pourquoi les intellectuels s'en détournent. A quoi est dû ce « repli frileux » d'une partie importante de la société française ? Il ne peut s'expliquer par un retour sur soi ; l'immigré est une des composantes de ce pays, dans son histoire et dans son évolution. Alors comment justifier l'absence de tous ces conditionnés de la dénonciation ?

1. En avril 1981, 51 intellectuels français publièrent un manifeste dans l'hebdomadaire *Sans frontières* (n° 19) : « Non à la France de l'Apartheid. » Dans un appel diffusé le 7 septembre 1983, plusieurs dizaines d'artistes et d'intellectuels affirment que « la France entière est concernée par la renaissance à Dreux des idées racistes, qui conduisent aux guerres civiles et aux guerres tout court ». Ils demandent aux habitants de Dreux de « dire dimanche leur refus d'une liste où figurent des extrémistes qui bafouent la liberté et la dignité humaine » (*le Monde*, 9 septembre 1983).
2. Cité par Pascal Bruckner, *op. cit.*

Lors de la manifestation du 30 juillet 1983 contre la série des crimes racistes, il y avait là 400 personnes, en majorité des Maghrébins [1].

L'idée d'une France multiraciale, enrichie par le métissage des visages et des cultures, l'idée que l'avenir de ce pays est aussi entre les mains de millions d'étrangers malgré les résistances et les défenses, cette idée d'un destin composé de plusieurs apports n'est pas encore réellement envisagée. Certains, comme Guy Hocquenghem, en perçoivent l'intérêt et même sa réalisation inévitable à plus ou moins long terme. Il écrit dans *la Beauté du métis* : « Nous, Français, sommes nés aveugles dans le monde clos d'un pays sans rencontres, sans métissage. Notre blancheur, notre fadeur, notre maladresse de naissance, sont l'œuvre de l'histoire : nous sommes loin du cœur, loin de la couleur, loin de la musique, parce que cinq siècles d'entraînement à la froideur nous ont murés en nous-mêmes. Nous ne nous métissons pas, ne nous entremêlons pas à d'autres peuples [2]. »

Françoise Gaspard a dit : « Ce à quoi on assiste, c'est l'ultime refus. Il faut le dire aux Français. On les regardera différemment. On s'habituera à vivre ensemble [3]. »

Quel que soit le régime politique et les mesures qu'il fera adopter, un fait est inévitable : Français et immigrés sont appelés non seulement à travailler dans les mêmes lieux, à habiter dans les mêmes quartiers, mais aussi à vivre ensemble, c'est-à-dire à se mélanger socialement et culturellement. A

---

1. Le manque de solidarité entre Maghrébins est le reflet des contradictions et déchirures actuelles des Arabes incapables d'unir leurs voix et leurs volontés, écartés par la force de toute expression libre ou exercice de la démocratie. Les émigrés arabes en France vivent dans le désarroi, incapables à leur tour de s'unir non sur un projet politique, mais simplement pour résister contre le racisme ambiant. L'intégrisme religieux risque de s'emparer de ce vide pour s'imposer.
2. Éd. Ramsay, Paris, 1979.
3. « Les immigrés sont-ils toxiques ? », émission diffusée sur FR 3 le 13 septembre 1983.

long terme, l'insertion ce sera l'émergence d'une nouvelle société, un paysage nourri de plusieurs apports.

En ce sens, le projet d'insertion — avec cependant une politique plus souple de retour volontaire — est une idée qu'il va falloir faire admettre à la société française. Un travail sur les mentalités s'impose : les intellectuels pourraient déjà ouvrir le débat et participer à répandre l'idée, à la rendre plus familière, à faire tomber la muraille de méfiance et de préjugés. Pour cela, il faut éviter de « combler tous ces creux de l'âme » avec hâte et d'élever des demeures vides et inhospitalières.

Ne faudrait-il pas se mobiliser pour réclamer une nouvelle politique de l'information, impliquer davantage l'immigré dans une forme nouvelle d'hospitalité, le mettre à l'aise pour qu'il puisse donner, en plus de sa force de travail, un peu de son imaginaire, une part de cet univers de civilisation qu'il transporte avec lui sans oser le vivre pleinement de peur de déranger, de peur de se voir refusé, pour que sa propre résistance s'ouvre à la société d'accueil, ait moins de raisons de se maintenir dans la crainte et le mutisme ?

Si la France continue d'avoir froid ou d'être sujette à de fortes migraines chaque fois que l'étranger bouge et tend à perturber un paysage entamé par le vieillissement, un paysage qui se sait mutilé par la dénatalité, il est peut-être opportun de lui rappeler que, sur le plan culturel, ce sont des étrangers qui ont su à un moment donné insuffler un sang neuf et riche dans ses veines : ne serait-ce qu'en littérature, comment oublier l'apport de gens comme E. Cioran, Samuel Beckett, Aimé Césaire, Ionesco [1], Kateb Yacine, Georges Schehadé, Georges Henïn, etc.

Ce dernier écrit dans son journal, *l'Esprit frappeur ; carnets 1940-1973* : « Où cesserons-nous d'être de passage ? Trois fois

---

1. Où Ionesco a-t-il pu nourrir son refus des Arabes ?

nulle part, je le crains. De moins en moins, je parviens à concevoir Paris comme un lieu d'installation possible. Je refuse de m'intéresser ou de m'associer si peu que ce soit à ces Parisiens infatués, à ces microsillons de l'intelligence enrayés à jamais, à ces fanatiques de la viande avariée qui prennent leurs coliques pour des convulsions d'importance mondiale. Depuis deux siècles, ils emmerdent l'univers entier n'ayant pourtant à lui proposer que le néant de leur enseignement d'embusqués. Le malentendu Paris n'a tenu le coup que grâce à la légion étrangère. Car j'appelle légion étrangère aussi bien Picasso, Miro, Modigliani, Apollinaire que les braves " pieds noirs " d'Alger ou les milliers de transfuges et exilés qui viennent déposer leur fardeau et leur nostalgie à la consigne de la gare de Lyon. Mais Paris s'est prêté trop longtemps à ce simulacre d'accueil, de brassage, de laboratoire, pour qu'il ne faille pas désormais le laisser pourrir dans le pus de sa vérité [1]. »

Dur ! Et pourtant, que de fois les humeurs de quelques intellectuels ont produit un tel brouillard dans l'espace, un tel bruit où la vanité l'emporte sur l'orgueil, que de fois l'horizon du pays et de la culture s'est situé à portée de la main pour ne pas dire au bout du nez ! Ces intellectuels continueront de faire carrière dans le détournement de la question, sécrétant mode sur mode jusqu'à l'épuisement de leur propre image qui, à force de se montrer, finit par s'effacer d'elle-même. Non ! ceux-là considéreront que l'immigration est un sujet qui n'est pas assez mobilisateur, beaucoup moins séduisant, c'est-à-dire d'une rentabilité quasi nulle dans l'échelle des valeurs marchandes ; il n'a pas la vertu de ces gadgets où l'on garde les mains propres et le visage serein de l'émotion convoquée pour la circonstance.

---

1. Édition Encre, l'Atelier du possible, Paris, 1980.

Conclusion

« Au contact des Français, on apprend à être
malheureux *gentiment*. »

Cioran.

Et pourtant, c'est en France que je vis.

De l'immigration je ne connais que le visage et sa mémoire. C'est un corps qui a dû échanger la misère matérielle de sa terre natale contre d'abord un espoir et ensuite une autre grisaille faite de dévalorisation et de solitude. Sa force de travail est son capital, ses enfants une revanche sur l'oubli, sa vie, un long processus d'usure et d'exclusion.

Le pays est manquant. La patrie n'est ni dans la langue ni dans une terre. Elle est dans le souvenir et l'attente.

J'ai rencontré un homme, Algérien, O.S. chez Renault à Billancourt, qui a failli perdre la raison : son fils, un adolescent de dix-sept ans, a donné un coup de pied au Coran, livre sacré.

Le Coran, c'est ce qu'il pouvait offrir à un enfant que la France lui enlevait. Le fils tournait déjà le dos au père et à ce livre qu'il ne voulait ni ne pouvait lire. Et le père n'en voulait pas à la France mais à lui-même, pas même à son pays dont il était d'une certaine manière dépossédé.

L'image de ce père m'a habité. Elle est venue se poser sur une autre, plus brutale et plus douloureuse, celle d'une gamine de quatorze ans, une Tunisienne, qui s'est jetée du quatrième étage parce que son frère la soupçonnait d'avoir couché avec un garçon et s'apprêtait à faire venir un médecin pour vérifier sa virginité. L'image aussi d'une mère de famille qui n'avait reçu de son époux que des coups et des semences brèves pour faire des enfants, jusqu'au jour où elle perdit le silence et la maîtrise et le tua. J'ai témoigné à son procès, évoquant l'exil dans l'exil et les deux morts, celle quotidienne assenée par le mari et l'autre libératrice et soudaine qu'elle a dû donner.

Il est des blessures qui se nourrissent du temps et deviennent le tissu de la mémoire. L'immigration a été et reste cette violence : une brisure dans l'histoire du pays et de l'individu.

Certains résistent, d'autres s'accommodent avec l'époque, d'autres enfin chutent dans le vide laissé par le passage de la déchirure [1].

Des voix, peut-être traduites du silence, s'élèvent. Elles sont à peine audibles et pourtant elles proviennent de cages thoraciques où la colère est fièvre, une rage retenue. Sur le visage de la mère de Taoufik Ouannès, il y avait une immense détresse mais pas de haine. Sa voix semblait douce, murmurée, sereine. Pas de vengeance. Juste une main ouverte, agitée pour arrêter le malheur, pour que le corps de l'aoufik nourrisse les sables humides de cette terre. En paix.

De ces voix et de ces silences, de ces visages et de ces mains, je voulais parler. Ceux qui ont déterré le fusil, visé et tiré, resteront enveloppés de leur propre misère. Comme a dit Mme Ouannès « ils ne sont pas la France ». Et pourtant, c'est de la France — une certaine France — que j'ai essayé de tracer un portrait. Une grimace laboure ce visage dont la langue est fontaine où viennent tremper des images nées sur d'autres territoires, accueillies ici avec curiosité et même avec ferveur. Si on feuillette l'imaginaire de l'écrivain, on ne l'habille pas de ce manteau immense et gris qu'on jette sur la communauté immigrée. Il y a là une différence et un malentendu.

---

1. Cf. *La plus haute des solitudes, op. cit.*

Il a fallu que je quitte mon pays pour découvrir que ce manteau est plein de trous. C'est cela l'exil hanté par la peur.

C'est un privilège pour un Maghrébin vivant en France de ne pas subir directement, sur son propre corps, le racisme ordinaire. Un privilège amer. Le mépris est ce drap nauséabond jeté sur une quantité indiscernable d'hommes et de femmes pour ne pas les voir, pour ne pas les nommer et aussi pour les désigner au refus. Ce mépris a cependant sa perversité : il est fréquent qu'il épargne quelques-uns. Écrivains, intellectuels, promoteurs de la langue française : êtres moins étranges, plus assimilables et, tout compte fait, assez proches d'une France à l'âme entrouverte.

A la limite, pourquoi écrire sur le racisme quand il contourne votre corps ?

J'ai évoqué plus haut des voix et des visages. Ils sont miens chaque fois qu'une main ou un regard les froisse et les interrompt.

Il souffle dans ce pays un vent de liberté qui fait particulièrement défaut dans le Tiers-Monde. C'est peut-être ce sentiment qui nous retient en France, et qui me permet à moi de dévisager sans complaisance l'image si complexe et contradictoire de cette société. Cela, j'ai pu le faire grâce à un organe, un lieu d'expression, peut-être le plus prestigieux en Occident, le journal *le Monde*. Je rends ici hommage à la mémoire de Pierre Viansson-Ponté qui m'a accueilli à l'automne 1972.

C'est dans les colonnes de ce journal que je me suis le plus exprimé sur le racisme, entre autres. Je dois beaucoup à cet asile culturel qui m'a permis d'écrire en toute liberté ce que peut-être je n'aurais jamais pu dire dans une autre presse, un autre continent.

Et pourtant, il m'arrive de me sentir étranger, chaque fois que le racisme virulent ou larvé se manifeste, chaque fois qu'on dessine des limites à ne pas dépasser.

201

Une déchirure dans un paysage. Une fracture dans l'histoire. La mémoire immigrée est ainsi faite : secousses, asthme, fêlure. Et je m'inscris dans ce tissu malmené. Le refus quasi névrotique depuis quelque temps de ce qui porte l'empreinte de l'islam et du Tiers-Monde englobe dans le même fardeau toute une communauté, manœuvres et intellectuels. J.-L. Borgès écrit dans *Fictions* : « Je pensais qu'un homme peut être l'ennemi d'autres hommes, d'autres moments, mais non d'un pays ; non des lucioles, des mots, des jardins, des cours d'eau, des couchants. »

C'est peut-être cela l'éclipse de l'humanisme, dans une époque où l'individu voudrait arracher par la violence « un supplément d'avenir » à une civilisation enrhumée. « C'est en vain, écrit Cioran, que l'Occident se cherche une forme d'agonie digne de son passé [1]. »

Pour le moment, la crise et ses symptômes l'animent. La France ne veut pas reconnaître que son avenir — avec ou sans la crise — est inscrit dans le métissage. Certains immigrés repartiront chez eux par désir, par volonté ou par usure. La plupart resteront ici. Le paysage de la France sera fait aussi de leurs visages. Qu'importent les raisons. Elles viennent peut-être du cœur ou de l'habitude.

C'est sans doute parce que, comme l'écrit Cioran, « dans tout citoyen d'aujourd'hui gît un métèque futur », que certains nostalgiques de l'empire colonial — même s'ils ne l'ont pas connu — redoublent de violence et défigurent cette hospitalité française encombrée plus que jamais de contradictions et d'ambiguïtés.

Tanger-Paris, décembre 1983.

---

1. *Syllogismes de l'amertume*, Gallimard, « Idées », Paris, 1976.

Table

De Gaulle ou l'Éternel Défi
PIERRE LARROUTURROU, Ça ne peut plus durer !
HUA LINSHAN, Les Années rouges
RENÉ MAURY, Les patrons japonais parlent
CHICO MENDES, Mon combat pour la forêt
JEAN-JACQUES MICHEL/HUANG HE
Avoir 20 ans en Chine... à la campagne
ALAIN MINC
L'Avenir en face
Le Syndrome finlandais
MARIE-FRANCE MOTTIN, Cuba quand même
JEAN-PIERRE MOULIN, Qu'est-il arrivé à la France ?
SAMI NAÏR, Lettre à Charles Pasqua de la part de ceux
qui ne sont pas bien nés
OANA ORLEA, Les Années volées
OBSERVATOIRE DE L'OBSERVATION, L'Information dans le monde
ANTOINE OTTAVI, Des Corses à part entière
PIERRE PACHET, La Violence du temps
JACQUES PINTO, Journal de Judée
EVGUÉNI PRIMAKOV, Missions à Bagdad – histoire
d'une négociation secrète
HUBERT PROLONGEAU, Une mort africaine – le sida
au quotidien
SERGE RAVANEL, L'Esprit de résistance
ALBERT DU ROY/ROBERT SCHNEIDER
Le Roman de la rose
VICTOR SCHERRER
La France paresseuse
Dans la jungle des affaires
LUCIEN SFEZ, La Santé parfaite
RAJA SHEHADEH, Tenir bon
ROBERT SOLÉ, Le Défi terroriste
VÉRONIQUE SOULÉ, Avoir 20 ans à l'Est
IBRAHIM SOUSS, Lettre à un ami juif
LIONEL STOLERU, L'Ambition internationale
EMMANUEL TODD
La Nouvelle France
L'Invention de l'Europe
Le Destin des immigrés
TZVETAN TODOROV

Une tragédie française
L'Homme dépaysé
CLAUDE-MARIE VADROT, Les Nouveaux Russes
CLAUDE WAUTHIER
L'Afrique des Africains (nouvelle édition)
Quatre Présidents et l'Afrique
JEAN ZIEGLER
Les Rebelles
La Victoire des vaincus
La Suisse, l'Or et les Morts

Du même auteur

Harrouda
roman, Denoël, coll. « Les lettres nouvelles », 1973

La Réclusion solitaire
roman, Denoël, coll. « Les lettres nouvelles », 1976
Seuil, coll. « Points », n° P161

Les amandiers sont morts de leurs blessures
poèmes
Maspero, coll. « Voix », 1976
prix de l'Amitié franco-arabe, 1976
Seuil, coll. « Points Roman », n° R218

La Mémoire future
Anthologie de la nouvelle poésie du Maroc
Maspero, coll. « Voix », 1976 (épuisé)

La Plus Haute des solitudes
Seuil, coll. « Combats », 1977
coll. « Points », n° P377

Moha le fou, Moha le sage
roman, Seuil, 1978, prix des Bibliothécaires de France
et de Radio Monte-Carlo, 1979
coll. « Points », n° P358

A l'insu du souvenir
poèmes, Maspero, coll. « Voix », 1980

La Prière de l'absent
roman, Seuil, 1981
coll. « Points », n° P376

L'Écrivain public
récit, Seuil, 1983
coll. « Points », n° P

La Fiancée de l'eau
théâtre, suivi de
Entretiens avec M. Saïd Hammadi, ouvrier algérien
Actes Sud, 1984

L'Enfant de sable
roman, Seuil, 1985
coll. « Points », n° P7

La Nuit sacrée
roman, Seuil, 1987
prix Goncourt
coll. « Points », n° P113

Jour de silence à Tanger
récit, Seuil, 1990
coll. « Points », n° P160

Les Yeux baissés
roman, Seuil, 1991
coll. « Points », n° P359

Alberto Giacometti
Flohic, 1991

La Remontée des cendres
Poème, édition bilingue,
version arabe de Kadhim Jihad,
Seuil, 1991
coll. « Points Roman », n° R625

L'Ange aveugle
nouvelles, Seuil, 1992
coll. « Points » n° P64

L'Homme rompu
roman, Seuil, 1994
coll. « Points » n° P116

La Soudure fraternelle
Arléa, 1994

Poésie complète
Seuil, 1995

Le premier amour est toujours le dernier
nouvelles, Seuil, 1995
coll. « Points » n° P278

Les Raisins de la galère
roman, Fayard, coll. « Libre », 1996

La Nuit de l'erreur
roman, Seuil, 1997